ALBANIAN STORIES

FOR INTERMEDIATE LEARNERS

ENGAGE WITH INTERMEDIATE ALBANIAN THROUGH TALES THAT INTRIGUE AND EDUCATE!

BY ADRIAN GEE

ISBN: 979-8-324087-94-4

Author's Note

Welcome to "69 More Short Albanian Stories for Intermediate Learners"! I am delighted to join you again as you dive deeper into the Albanian language and its rich cultural tapestry. Building on the solid foundation provided by our beginner's book, this new collection is designed to further challenge and enhance your fluency and comprehension through engaging and culturally rich narratives.

These stories are specifically tailored for intermediate learners, aiming to broaden your vocabulary, sharpen your understanding of grammatical structures, and deepen your appreciation for Albanian traditions and storytelling. Each story is crafted to advance your language skills, presenting real-life scenarios that prepare you for more complex communication and comprehension.

Connect with Me: Join our growing community of language enthusiasts on Instagram (@adriangruszka). Connect, share your learning experiences, challenges, and successes. Your journey enriches our community, and together, we celebrate every step forward in your language learning adventure.

Sharing is Caring: Your progress and stories inspire and motivate not only me but many others. If this book helps advance your Albanian skills, please share your experience and tag me. Your feedback is invaluable and helps shape future learning materials to better meet your needs.

"69 More Short Albanian Stories for Intermediate Learners" invites you to deepen your engagement with Albanian language and culture. Each story opens up new vistas of understanding and enjoyment. Here's to your continued journey into the heart of Albania. Cheers to more learning and discovery!

- *Adrian Gee*

CONTENTS

INTRODUCTION

Welcome

Welcome to "69 More Short Albanian Stories for Intermediate Learners," a continuation of your journey into Albanian language mastery. Designed for learners who have moved beyond the basics and are ready to delve deeper, this collection is tailored to enrich your vocabulary, enhance your understanding of complex grammatical structures, and immerse you in captivating narratives that reflect the essence of Albania.

What the Book is About

This book bridges the gap between beginner and advanced levels, featuring 69 short stories that explore a broader range of topics and introduce more sophisticated language patterns. Each story offers an opportunity to engage with intermediate-level Albanian in a context that is both educational and entertaining, ensuring a comprehensive learning experience.

How the Book is Laid Out

The structure of this book mirrors the effective layout of its predecessor, with each story accompanied by a glossary of intermediate-level terms and expressions. Comprehension questions and summaries in Albanian follow each tale, challenging you to apply your growing language skills in varied contexts. This approach not only solidifies your learning but also encourages critical thinking in Albanian.

Recommendations and Tips on How to Get the Most Out of the Book

1. **Dive Deeper:** Challenge yourself with the more complex language and themes presented. Look up any unfamiliar concepts to broaden your understanding.

2. **Engage Actively:** Make the most of the comprehension questions to reflect on each story's nuances. Discussing your answers with peers or teachers can provide additional insights.

3. **Polish Your Pronunciation:** Continue to practice reading aloud. This will improve your pronunciation, rhythm, and intonation in Albanian.

4. **Expand Your Exposure:** Complement your reading by exploring Albanian media and literature. Engaging with a variety of content will accelerate your progress towards fluency.

Embarking on "69 More Short Albanian Stories for Intermediate Learners" is an invitation to deepen your connection with the Albanian language and its culture. With each story, you're not just learning; you're experiencing, understanding, and, most importantly, enjoying the process. Here's to your continued success in mastering the Albanian language!

- Chapter One -
THE MYSTERIOUS LIGHTHOUSE

Far dhe Misterioz

Një far i braktisur qëndronte në një bregdet të largët, i rrethuar nga mjegulla dhe legjenda. I njohur si Far i Bregut të Mistshëm, thuhej se udhëhiqte dhe shkaktonte fatkeqësi për anijet me dritën e tij misterioze. Hetuesja Mara u nis përmes mjegullës drejt kësaj strukture të izoluar për të zbuluar sekretet e saj.

Brenda, ajo gjeti dëshmi të rolit të tij të kaluar si një far për detarët që lundronin në ujëra të rrezikshme dhe gjurmë të një legjende tronditëse për një anije të mbytur. Ndërsa zhytej më thellë, farri zbuloi psherëtima të frikshme dhe hije fantazmash. Papritur, një anije spektrale u materializua në breg, e lidhur me legjendën e farrës.

Mara kuptoi se farri, larg nga të qenit i braktisur, mbrohej nga shpirtrat e të humburve. Drita e tij shërbente si një far i trishtuar, që i kujtonte të gjithëve për rreziqet e detit. Duke u larguar me më shumë pyetje sesa përgjigje, Mara e njohu farrin si një rojtar misterioz në skajin e botës së njohur.

Vocabulary

Lighthouse	*Far*
Mysterious	*Misterioz*
Navigate	*Lundoj*
Coastline	*Bregdet*
Beacon	*I braktisur*
Abandoned	*Hetoj*
Investigate	*Trishtues*
Haunting	*Ndriçoj*
Illuminate	*Mjegull*
Fog	*Legjendë*
Legend	*I izoluar*
Isolated	*I frikshëm*
Eerie	*Sinjal*
Signal	*Breg*
Shore	*Brzeg*

Questions About the Story

1. *What stands on the remote coastline?*

   a) A modern hotel
   b) An abandoned lighthouse
   c) A pirate ship

2. *What is the lighthouse known as?*

   a) The Beacon of the Eerie Shore
   b) The Guiding Light
   c) The Sentinel of the Sea

3. *What did Mara discover inside the lighthouse?*

   a) Pirate treasure
   b) Logbooks and maritime charts
   c) A hidden trapdoor

4. *What legend is linked to the lighthouse?*

   a) A mermaid's curse
   b) A haunted captain
   c) A shipwreck

5. *What materialized on the shore?*

   a) A sea monster
   b) A spectral ship
   c) A treasure chest

Correct Answers:

1. b) An abandoned lighthouse
2. a) The Beacon of the Eerie Shore
3. b) Logbooks and maritime charts
4. c) A shipwreck
5. c) A spectral ship

- Chapter Two -
THE SECRET OF THE OLD MANSION

Sekreti i Shtëpisë së Vjetër

Në fshat, një shtëpi madhështore me një të kaluar misterioze u trashëgua nga Lukasi, një historian i ri. Duke eksploruar pronën për ta rinovuar, Lukasi gjeti një portret të stërgjyshërve që fshehte një ditar. Ky ditar i jepte të kuptoje se një spektër mbrojti një trashëgimi të lashtë, duke thelluar misterin e shtëpisë.

Duke ndjekur gjurmët nga dita, Lukasi zbuloi një dhomë që tregonte vendndodhjen e trashëgimisë nën pronë. Duke takuar rojtarin spektral, ai mësoi për trashëgiminë e të parëve të tij dhe fuqinë e trashëgimisë për ta mbrojtur atë.

Duke zbuluar talismanin, Lukasi kuptoi rëndësinë e ruajtjes së historisë, duke kuptuar se sekreti i shtëpisë ishte trashëgimia e saj, jo vetëm tregime për spektrat dhe mesazhe të koduara.

Vocabulary

Mansion	*Shtëpi madhështore*
Secret	*Sekret*
Heirloom	*Trashëgimi*
Inheritance	*Portret*
Portrait	*Stërgjysh*
Ancestor	*Rinovoj*
Renovate	*Spektër*
Specter	*Mister*
Mystery	*I koduar*
Cryptic	*Pronë*
Estate	*Ditar*
Diary	*Gjurmë*
Clue	*Zbuloj*
Reveal	*Ujawnić*
Discover	*Odkryć*

Questions About the Story

1. *Who inherited the mysterious mansion?*

    a) The spectral guardian
    b) Lucas, the young historian
    c) An ancestral portrait

2. *What did Lucas intend to do with the estate?*

    a) Sell it immediately
    b) Abandon it
    c) Renovate it

3. *What concealed a cryptic diary?*

    a) The mansion's front door
    b) A hidden chamber
    c) An ancestral portrait

4. *What guarded the family's inheritance according to the diary?*

    a) A hidden chamber
    b) A cryptic message
    c) The spectral guardian

5. *Where was the heirloom located?*

    a) Beneath the estate's ancient grounds
    b) Inside the diary
    c) On the spectral guardian

Correct Answers:

1. b) Lucas, the young historian
2. c) Renovate it
3. c) An ancestral portrait
4. c) The spectral guardian
5. a) Beneath the estate's ancient grounds

- Chapter Three -
THE ENCHANTED FOREST

Pylli i Magjishëm

Përtej kufijve të botës së njohur ndodhet një pyll i magjishëm, shtëpi e qenieve mitike dhe i mbrojtur nga magji të lashta. Një aventuriere e re me emrin Elara, e tërhequr nga tregimet për magjinë e pyllit, nisi një mision për të eksploruar thellësitë e tij mistike.

Ndërsa Elara ecën nëpër pyll, ajo hasi në mbretëri të magjepsura dhe rojtarë të lashtë, secili zbuloi sekretet e pyllit dhe e udhëhoqi në misionin e saj. Pylli, i gjallë me energji magjike, paraqiti sfida dhe enigma, duke testuar vendosmërinë dhe lidhjen e Elarës me botën magjike.

Udhëtimi e çoi në zemrën e pyllit, ku një portal i lashtë, i ndriçuar nga drita magjike e pyllit, zbuloi rrugën drejt një mbretërie mitike. I mbrojtur nga një rojtar i fuqishëm, portali ishte burimi i magjisë së pyllit, një portë drejt mbretërive përtej imagjinatës.

Me guxim dhe një zemër të hapur ndaj mrekullive të magjisë, Elara e çeli portalin, duke kulmuar misionin e saj në një transformim që lidhi botën e njerëzve me të magjishmen. Pylli zbuloi esencën e tij të vërtetë, një mbretëri ku magjia dhe natyra ndërthuren, ofruan urtësi dhe mbrojtje për ata që kërkonin sekretet e tij.

Vocabulary

Enchanted	*I magjishëm*
Forest	*Pyll*
Mythical	*Mitik*
Creature	*Qenie*
Bewitched	*I magjepsur*
Realm	*Mbretëri*
Guardian	*Rojtar*
Spell	*Magji*
Ancient	*I lashtë*
Quest	*Mision*
Magical	*Magjik*
Forbidden	*I ndaluar*
Illuminate	*Ndriçoj*
Portal	*Portal*
Transformation	*Transformim*

Questions About the Story

1. *What is the setting of 'The Enchanted Forest'?*

    a) A modern city
    b) An ancient castle
    c) A magical forest

2. *Who is the main character of the story?*

    a) A powerful guardian
    b) Elara, the young adventurer
    c) A mythical creature

3. *What draws Elara into the forest?*

    a) A family heirloom
    b) Tales of the forest's magic
    c) A lost relative

4. *What does Elara encounter in the forest?*

    a) Modern technology
    b) Bewitched realms and guardians
    c) A bustling city

5. *What is at the heart of the forest?*

    a) A hidden treasure
    b) An ancient city
    c) An ancient portal

Correct Answers:

1. c) A magical forest
2. b) Elara, the young adventurer
3. b) Tales of the forest's magic
4. b) Bewitched realms and guardians
5. c) An ancient portal

- Chapter Four -
THE TIME TRAVELER'S DILEMMA

Dilema e Udhetarit në Kohë

Elena, një udhëtare e aftë në kohë, përballët me një dilemë kur veprimet e saj në të kaluarën kërcënonin papritur stabilitetin e të ardhmes. Detyra e saj ishte të vëzhgonte epokat pa bërë ndryshime, por ajo pa dashje shkaktoi një ndërprerje, duke çuar në pasojat e paparashikuara për të ardhmen.

Përballur me paradoksin e ndryshimit të të kaluarës për të shpëtuar të ardhmen, Elena kuptoi se çdo ndryshim mund të prishë më tej balancën e kohës nëpër epoka të ndryshme. Me një kuptim të thellë të dimensioneve të kohës, ajo planifikoi me kujdes kthimin e saj, me qëllimin për të rregulluar gabimin e saj pa krijuar paradokse ose lënë artifakte që mund të ndryshonin historinë.

Duke lundruar sfidat e ndërprerjeve kronologjike të mundshme, Elena korrigjoi me sukses hapin e gabuar, duke ruajtur kështu integritetin e kronologjisë dhe duke siguruar një të ardhme të pandryshuar.

Udhëtimi i saj nënvizoi rëndësinë kritike të respektimit të së kaluarës dhe pasojat komplekse të udhëtimit në kohë, duke u kthyer në epokën e saj me një ndërgjegjësim të ri për përgjegjësinë e saj të madhe.

Vocabulary

Time traveler	Udhëtar në kohë
Dilemma	Dilemë
Paradox	Paradoks
Epoch	Epokë
Alter	Ndryshoj
Future	Të ardhme
Past	E kaluar
Consequence	Pasojë
Dimension	Dimension
Chronological	Kronologjik
Disrupt	Ndërprer
Era	Epokë
Artifact	Artifakt
Return	Kthim
Mission	Mision

Questions About the Story

1. *What was Elena's profession?*

    a) Historian
    b) Scientist
    c) Time traveler

2. *What dilemma did Elena face?*

    a) Choosing between two futures
    b) Deciding on her next vacation spot
    c) Her actions in the past threatened the future's stability

3. *What was Elena's original mission?*

    a) To change historical events
    b) To observe epochs without altering them
    c) To collect artifacts from the past

4. *What did Elena disrupt?*

    a) A royal wedding
    b) The stock market
    c) A minor event with unforeseen future consequences

5. *What did Elena aim to fix on her return to the past?*

    a) Her reputation
    b) The disrupted event without creating a paradox
    c) A broken artifact

Correct Answers:

1. c) Time traveler
2. c) Her actions in the past threatened the future's stability
3. b) To observe epochs without altering them
4. c) A minor event with unforeseen future consequences
5. b) The disrupted event without creating a paradox

- Chapter Five -
LOST IN TRANSLATION

Humbur në Përkthim

Marko, një përkthyes dygjuhësh, u gjet i humbur në përkthim gjatë një dialogu diplomatik kyç. I detyruar të interpretojë një diskutim të ndjeshëm, Marko u përball me sfidën e përçimit të nuancave ndërmjet gjuhëve pa keqinterpretuar mesazhin origjinal.

Ndërsa dialogu vazhdonte, Marko lundroi nëpër kompleksitetet e përkthimeve të drejtpërdrejta, idiomave dhe slengut. Ai përpiqej për saktësi duke ruajtur thelbin e çdo shprehjeje. Barrierat e gjuhës ishin të mëdha, por aftësia dhe kuptimi i kontekstit nga ana e Markos i mundësuan atij të ndërmjetësonte ndërmjet pjesëmarrësve.

Megjithatë, një keqkuptim u shfaq kur një shprehje popullore u keqinterpretua, duke çuar në konfuzion midis pjesëmarrësve. Marko shpejt e sqaroi keqkuptimin, duke shpjeguar nuancën e shprehjes dhe duke siguruar që komunikimi të mbetej i qartë dhe efektiv.

Përpjekjet e Markos bënë që dialogu të përfundonte me sukses, me të gjithë palët që vlerësonin subtilitetet e gjuhës dhe komunikimit. Përvoja e Markos nënvizoi rëndësinë e kuptimit dhe përçimit të saktë të detajeve të gjuhës në një kontekst multikulturor.

Vocabulary

Translation	*Përkthim*
Misinterpret	*Keqinterpretoj*
Nuance	*Nuanca*
Bilingual	*Dygjuhësh*
Communicate	*Komunikoj*
Barrier	*Barierë*
Fluent	*I rrjedhshëm*
Context	*Kontekst*
Literal	*I drejtpërdrejtë*
Idiom	*Idiom*
Slang	*Sleng*
Expression	*Shprehje*
Misunderstand	*Keqkuptoj*
Dialogue	*Dialog*
Accuracy	*Saktësi*

Questions About the Story

1. *What is Marco's profession?*

   a) Diplomat
   b) Translator
   c) Language teacher

2. *What was Marco tasked with during the diplomatic dialogue?*

   a) Leading the discussion
   b) Interpreting a sensitive discussion
   c) Writing a report on the dialogue

3. *What challenge did Marco face?*

   a) Translating a book
   b) Making a speech
   c) Conveying nuances between languages

4. *What did Marco strive to maintain while interpreting?*

   a) Speed
   b) Volume
   c) Essence of each expression

5. *What allowed Marco to bridge the gap between speakers?*

   a) His sense of humor
   b) His fluency and understanding of context
   c) His ability to speak loudly

Correct Answers:

1. b) Translator
2. b) Interpreting a sensitive discussion
3. c) Conveying nuances between languages
4. c) Essence of each expression
5. b) His fluency and understanding of context

- Chapter Six -
A TALE OF TWO CITIES

Tregimi i Dy Qyteteve

Në një vend ku një metropol i zhurmshëm dhe një fshat i qetë rural ndodheshin në kontrast të theksuar, ekzistonte një ndarje që shkonte përtej gjeografisë. Ky tregim eksploron jetët brenda këtyre vendeve kontrastuese, duke theksuar dallimet dhe ngjashmëritë në shoqëri, kulturë dhe ekonomi.

Metropoli, një qendër e infrastrukturës së avancuar dhe një kovë shkrirjeje e popullsive të ndryshme, ofronte mundësi të pafund. Peizazhi urban ishte një dëshmi e përparimit njerëzor, por gjithashtu përballej me sfidat e integrimit në mes të ritmit të tij të ngarkuar.

Nga ana tjetër, fshati rural, me traditat e tij të rrënjosura thellë në të kaluarën, paraqiste një mënyrë jetese më të thjeshtë. Këtu, ekonomia ishte e lidhur ngushtë me natyrën, dhe migrimi në qendra urbane shihej si një humbje dhe një nevojë për mbijetesë.

Ndërsa individët nga të dy botët ndërvepronin, perspektivat e tyre mbi jetën filluan të përziejeshin, duke zbuluar bukurinë dhe sfidat e çdo stili jetese. Tregimi u zhvillua, duke treguar se si shoqëritë urbane dhe rurale mund të bashkëjetonin, secila duke pasuruar tjetrën me kulturën dhe traditat e saj të veçanta.

Përmes migrimit dhe integrimit, lindi një shoqëri e re—një që vlerësonte inovacionin e shpejtë të metropolit po aq sa thjeshtësinë paqësore të fshatit rural. Ky tregim i dy qyteteve shërben si kujtesë për rëndësinë e bashkëjetesës dhe kuptimit në një botë të ndryshme.

Vocabulary

Metropolis	*Metropol*
Contrast	*Kontrast*
Urban	*Urban*
Rural	*Rural*
Society	*Shoqëri*
Culture	*Kulturë*
Divide	*Ndarje*
Migration	*Migrim*
Economy	*Ekonomi*
Tradition	*Traditë*
Perspective	*Perspektivë*
Coexist	*Bashkëjetoj*
Infrastructure	*Infrastrukturë*
Population	*Popullsi*
Integration	*Integrim*

Questions About the Story

1. *What are the two contrasting settings in the story?*

    a) A desert and a forest
    b) A metropolis and a rural village
    c) An island and a mountain

2. *What does the metropolis offer?*

    a) Limited opportunities
    b) Endless opportunities
    c) No infrastructure

3. *What challenge does the metropolis face?*

    a) Overpopulation
    b) Lack of nature
    c) Integration challenges

4. *What is closely tied to the economy in the rural village?*

    a) Technology
    b) Nature
    c) Tourism

5. *What effect does migration have?*

    a) It enriches only the urban areas
    b) It causes problems only in rural areas
    c) It affects economies, traditions, and individual lives

Correct Answers:

1. b) A metropolis and a rural village
2. b) Endless opportunities
3. c) Integration challenges
4. b) Nature
5. c) It affects economies, traditions, and individual lives

- Chapter Seven -
THE ART THIEF

Hajduti i Artit

Në botën e artit, një vjedhje në një galeri prestigjioze tronditi komunitetin. Një veprë arti e çmuar zhduket pa lënë gjurmë, duke çuar në një kërkim intensiv për të dyshuarin. Hajduti, një mjeshtrar i fshehtësisë, kishte mashtruar sigurinë me aftësinë e një falsifikatori të përvojshëm.

Galeria, e vendosur të rikuperonte veprën e artit, punësoi një detektiv të fshehtë të njohur për aftësinë e tij për të autentifikuar artin dhe zbuluar falsifikime. Ndërsa hetimi zhvillohej, detektivi shqyrtonte regjistrat e ankandeve, duke dyshuar se hajduti mund të përpiqej të shiste ekspozitën e vjedhur.

Tensioni u rrit kur u pa një blerës i mundshëm në ankand, duke ngritur dyshime. Detektivi, i përzier me turmën, priste momentin për të vepruar. Ndjekja filloi kur i dyshuari bëri lëvizjen për të shitur veprën e artit.

Në një kthesë dramatike të ngjarjeve, detektivi arriti të rikuperojë veprën e artit, duke siguruar kthimin e saj të sigurt në galeri. Komuniteti i artit lehtësoi me një frymëmarrje lehtësimi pasi vepra e artit ishte sërish në ekspozitë, dhe hajduti i zgjuar i artit u soll para drejtësisë.

Vjedhja shërbeu si një kujtesë për rëndësinë e sigurisë në mbrojtjen e thesareve kulturore dhe për gjatësitë që individët do të shkonin për t'i zotëruar ato.

Vocabulary

Heist	*Vjedhje*
Gallery	*Galeri*
Masterpiece	*Veprë arti*
Forger	*Falsifikator*
Stealth	*Fshehtësi*
Auction	*Ankand*
Authenticate	*Autentifikoj*
Suspect	*I dyshuar*
Security	*Siguri*
Undercover	*I fshehtë*
Valuable	*I çmuar*
Exhibit	*Ekspozitë*
Detect	*Zbuloj*
Chase	*Ndjekje*
Recover	*Rikuperoj*

Questions About the Story

1. *What event shocked the art community?*

    a) A new gallery opening
    b) A prestigious award ceremony
    c) A heist at a prestigious gallery

2. *What was stolen from the gallery?*

    a) A sculpture
    b) A valuable masterpiece
    c) A collection of modern art

3. *Who was hired by the gallery to recover the stolen artwork?*

    a) A famous artist
    b) An undercover detective
    c) A renowned art critic

4. *What skill did the detective use to aid the investigation?*

    a) Painting
    b) Sculpting
    c) Authenticating art and detecting forgeries

5. *Where did the detective suspect the thief would attempt to sell the stolen exhibit?*

    a) At a local flea market
    b) On the internet
    c) At an auction

Correct Answers:

1. c) A heist at a prestigious gallery
2. b) A valuable masterpiece
3. b) An undercover detective
4. c) Authenticating art and detecting forgeries
5. c) At an auction

- Chapter Eight -
THE FORGOTTEN LANGUAGE

Gjuha e Harruar

Lena, një gjuhëtare me pasion për gjuhët e zhdukura të qytetërimeve të lashta, rrëzoi një dorëshkrim që premtoi të zbulojë sekretet e një proto-gjuhe të harruar. Dorëshkrimi, i zbukuruar me mbishkrime që ishin një përzierje e kuneiformes dhe hieroglifëve, ishte një dritare në një të kaluar të mbuluar në mister.

Kërkimi i saj për të deshifruar dorëshkrimin e çoi në një udhëtim nëpër mbretëritë e filologjisë, ku sintaksa, semantika dhe etimologjia ndërthurën. Me çdo fjalë që deshifroi, Lena çliroi historitë e një qytetërimi që zëri i tij ishte humbur në kohë.

Ndërsa thellonte në enigmën gjuhësore, Lena zbuloi se gjuha nuk ishte thjesht një artifakt studimi, por një urë e gjallë me të parët që e flisnin. Mbishkrimet dygjuhësh ofronin përfundime që sfidonin kufijtë e vendosur të gjuhësisë.

Kulmi i punës së saj zbuloi jo vetëm kuptimet pas teksteve të lashta, por edhe lidhjen e thellë midis gjuhës, identitetit dhe historisë. Përkushtimi i Lenës për të zgjidhur gjuhën e harruar ndriçoi tapetin e pasur të komunikimit njerëzor dhe trashëgiminë e tij të qëndrueshme ndër breza.

Vocabulary

Linguist	*Gjuhëtare*
Extinct	*E zhdukur*
Manuscript	*Dorëshkrim*
Decipher	*Deshifroj*
Proto-language	*Proto-gjuhë*
Artifact	*Artifakt*
Philology	*Filologji*
Syntax	*Sintaksë*
Etymology	*Etimologji*
Semantics	*Semantikë*
Inscription	*Mbishkrim*
Bilingual	*Dygjuhësh*
Dialect	*Dialekt*
Cuneiform	*Kuneiforme*
Hieroglyphs	*Hieroglifë*

Questions About the Story

1. *What is Lena's profession?*

   a) Historian
   b) Archaeologist
   c) Linguist

2. *What did Lena discover that held the secrets to a forgotten language?*

   a) A treasure chest
   b) A manuscript
   c) A stone tablet

3. *What types of inscriptions were on the manuscript?*

   a) Alphabetic and numeric
   b) Cuneiform and hieroglyphs
   c) Morse code and Braille

4. *What realms of study did Lena explore to decipher the manuscript?*

   a) Astronomy and geography
   b) Philosophy and theology
   c) Philology, including syntax, semantics, and etymology

5. *What did Lena ultimately find in the language she was studying?*

   a) A way to time travel
   b) A map to hidden treasures
   c) A living bridge to the ancestors who spoke it

Correct Answers:

1. c) Linguist
2. b) A manuscript
3. b) Cuneiform and hieroglyphs
4. c) Philology, including syntax, semantics, and etymology
5. c) A living bridge to the ancestors who spoke it

- Chapter Nine -
BEYOND THE HORIZON

Përtej Horizontit

Jeta e Erikut ishte një ekspeditë, një kërkim i pandërprerë për të lundruar në ujërat e paeksploruara të botës. Odisa e tij e fundit, një udhëtim detar që premtoi të zgjaste kufijtë e qëndrueshmërisë së tij, ishte për të eksploruar përtej horizontit, aty ku hartat përfundonin dhe legjendat fillonin.

Me busullën si udhërrëfyes dhe yjet si shoqërues, Erik nisi të lundronte në të panjohurën. Udhëtimi nuk ishte vetëm një kalim i distancave gjeografike, por një udhëtim në zemrën e zbulimit vetë.

Ndërsa udhëtonte nëpër gjërinë detare, Erik përjetoi izolimin e detit, një vetmi që testoi vendosmërinë e tij. Megjithatë, ishte në këtë izolim që ai gjeti qartësi—një hartë qëlestrore e shkruar në qiellin e natës, që e udhëhoqi atë drejt vendeve të reja dhe mbretërive të harruara.

Zbulimet e tij jo vetëm zgjeruan kufijtë e kartografisë, por sfiduan edhe perceptimet mbi atë që ndodhet përtej botës së njohur. Udhëtimi i Erikut ishte një dëshmi për dëshirën e shpirtit njerëzor për të eksploruar, për të kërkuar dhe për të kuptuar misteret që fshihen përtej horizontit.

Vocabulary

Horizon	*Horizont*
Expedition	*Ekspeditë*
Navigate	*Lundroj*
Uncharted	*I paeksploruar*
Odyssey	*Odisë*
Maritime	*Detar*
Compass	*Busull*
Sail	*Lundroj*
Voyage	*Udhëtim*
Celestial	*Qëlestror*
Isolation	*Izolim*
Endurance	*Qëndrueshmëri*
Cartography	*Kartografi*
Latitude	*Gjerësi gjeografike*
Longitude	*Gjatësi gjeografike*

Questions About the Story

1. *What best describes Erik's lifestyle?*

    a) A comfortable routine
    b) A series of scientific experiments
    c) A ceaseless quest for exploration

2. *What was Erik's latest odyssey?*

    a) A deep-sea diving expedition
    b) A journey beyond the horizon into uncharted waters
    c) A trek across desert lands

3. *What guided Erik on his journey?*

    a) A detailed map
    b) Advice from experienced sailors
    c) His compass and the stars

4. *What did Erik encounter during his voyage?*

    a) Crowded ports and bustling cities
    b) The isolation of the sea
    c) Pirates and sea monsters

5. *What did Erik discover in his isolation?*

    a) A treasure chest
    b) A celestial map in the night sky
    c) An underwater city

Correct Answers:

1. c) A ceaseless quest for exploration
2. b) A journey beyond the horizon into uncharted waters
3. c) His compass and the stars
4. b) The isolation of the sea
5. b) A celestial map in the night sky

- Chapter Ten -
THE RISE OF THE PHOENIX

Rilindja e Feniksit

Në një vend të mbushur me mitologji, legjenda e Feniksit, një krijesë madhështore, ka mahnitur gjithmonë ata që besojnë në fuqinë e ringjalljes dhe transformimit. Ky zog i përhershëm, i rrethuar nga flakët, do të digjej në zjarr, për të dalë sërish nga hiqet, i ringjallur, duke simbolizuar një cikël të përjetshëm të jetës, vdekjes dhe rilindjes. Ishte një trashëgimi që kalonte brezat, një parashikim që u bë nga shikuesit e lashtë, që parashikonte ngjitjen e pafund të Feniksit.

Feniksi nuk ishte vetëm një figurë mitike; ai ishte një simbol shprese, qëndrueshmërie dhe thelbit të padëmtueshëm të jetës. Sipas mitologjisë, vetëm një Feniks mund të jetonte në një kohë, duke bërë që shfaqja e tij të ishte një ngjarje e rrallë që paralajmëronte transformimin dhe rinovimin. Rilindja e tij nga hiqet simbolizonte triumfin e jetës mbi vdekjen, të rinovimit mbi degradimin.

Cikli i Feniksit, ngjitja e tij nga flakët dhe ngritja në qiell ishte një spektakël që pak kishin privilegjin të dëshmonin. Thuhej se flakët e tij kishin fuqinë për të pastruar dhe lotët e tij për të shëruar, duke bërë Feniksin jo vetëm një simbol të pavdekësisë dhe ringjalljes, por edhe një mbrojtës të gjithçkaje që është e pastër dhe e shenjtë.

Vocabulary

Phoenix	*Feniks*
Rebirth	*Ringjallje*
Mythology	*Mitologji*
Immortal	*I pavdekshëm*
Flames	*Flakë*
Ashes	*Hiq*
Legacy	*Trashëgimi*
Symbolize	*Simbolizoj*
Cycle	*Cikël*
Transformation	*Transformim*
Resurgence	*Rilindje*
Eternal	*I përjetshëm*
Prophecy	*Parashikim*
Mythic	*Mitik*
Ascend	*Ngjitem*

Questions About the Story

1. *What does the Phoenix symbolize?*

   a) Destruction
   b) Rebirth and transformation
   c) Eternal darkness

2. *How does the Phoenix rejuvenate itself?*

   a) By bathing in water
   b) By flying to the sun
   c) By consuming itself in fire

3. *What does the Phoenix's rebirth from ashes signify?*

   a) The end of the world
   b) The triumph of life over death
   c) The arrival of winter

4. *According to mythology, how many Phoenixes can live at a time?*

   a) Hundreds
   b) Only one
   c) Two, a male and a female

5. *What rare event does the appearance of the Phoenix herald?*

   a) A catastrophic disaster
   b) Transformation and renewal
   c) Eternal peace

Correct Answers:

1. b) Rebirth and transformation
2. c) By consuming itself in fire
3. b) The triumph of life over death
4. b) Only one
5. b) Transformation and renewal

- Chapter Eleven -
THE LOST ART OF CALLIGRAPHY

Arti i Humbur i Kaligrafisë

Dikur, në një mbretëri ku traditat e lashta ishin të nderuara, arti i kaligrafisë mbante një vend nderi. Kjo zanat elegante ishte më shumë se thjesht shkrim; ishte një shprehje e bukurisë dhe precizionit. Mjeshtërit kaligrafë, me bojë dhe furça të tyre, do të krijonin dorëshkrime mahnitëse në perkament, çdo goditje një dëshmi e aftësisë së tyre dhe kuptimit estetik.

Ndër këta artizanë ishte Eliana, një kaligrafe që puna e saj ishte e njohur për zbukurimet dhe teknikën e shkëlqyer që frymëzonte jetë në çdo simbol. Ajo besonte se kaligrafia nuk ishte thjesht një mënyrë për të shkruar fjalë, por një urë që lidhte të kaluarën me të tashmen, një formë artizanati që përmbyste thelbin e urtësisë së lashtë.

Një ditë, Eliana nisi një projekt për të krijuar një dorëshkrim që do të shfaqte kulmin e artit kaligrafik. Ajo përdori bojën dhe furçën më të mirë të saj, duke krijuar çdo goditje me një precizion të pakrahasueshëm. Dorëshkrimi do të ishte vepra e saj më e mirë, kulmi i viteve të përkushtimit ndaj zanatit të saj.

Ndërsa punonte, Eliana kuptoi se kaligrafia ishte më shumë se një art— ajo ishte një meditim, një valle e furçës mbi perkament që simbolizonte rrjedhën e jetës vetë. Punimi i saj i përfunduar nuk ishte thjesht një koleksion i shkrimeve elegante, por një festim i bukurisë së qëndrueshme të kaligrafisë, një kujtim i një kohe kur artizanati ishte i nderuar si një lidhje me të kaluarën e stërgjyshërve.

Vocabulary

Calligraphy	*Kaligrafi*
Script	*Shkrim*
Ink	*Bojë*
Elegance	*Elegancë*
Stroke	*Goditje*
Manuscript	*Dorëshkrim*
Flourish	*Zbukurim*
Precision	*Precizion*
Ancient	*I lashtë*
Parchment	*Perkament*
Aesthetic	*Estetik*
Brush	*Furçë*
Symbol	*Simbol*
Technique	*Teknikë*
Craftsmanship	*Artizanat*

Questions About the Story

1. *What does calligraphy represent in the story?*

   a) A simple form of writing
   b) A modern digital art
   c) An expression of beauty and precision

2. *What was unique about Eliana's work?*

   a) Its simplicity
   b) Its flourishes and exquisite technique
   c) Its digital enhancement

3. *What did Eliana believe about calligraphy?*

   a) It was outdated
   b) It was a bridge connecting the past to the present
   c) It was too complex

4. *What did Eliana use to create her manuscript?*

   a) A typewriter
   b) Her finest ink and brush
   c) A computer

5. *What realization did Eliana have while working on her manuscript?*

   a) That calligraphy was a lost cause
   b) That calligraphy was a meditation and a dance of the brush
   c) That she preferred painting

Correct Answers:

1. c) An expression of beauty and precision
2. b) Its flourishes and exquisite technique
3. b) It was a bridge connecting the past to the present
4. b) Her finest ink and brush
5. b) That calligraphy was a meditation and a dance of the brush

- Chapter Twelve -
ECHOES OF THE PAST

Jehonat e së Kaluarës

Në zemër të një toke të lashtë, pëshpëritjet e së kaluarës tërhiqnin të kureshtarët dhe të guximshmit. Ndër ta ishte Alex, një arkeolog i përkushtuar për të zbuluar jehonat e qytetërimeve të shkuara. Ekspedita e tij e fundit e çoi atë në rrënoja të mbuluara në mister, që premtonin relike të një dinastie të harruar.

Me precizion dhe respekt, Alex filloi të gërmonte. Çdo artifakt që nxirrte ishte një pjesë e historisë, një lidhje prekëse me shpirtrat e stërgjyshërve që dikur kishin ecur në këto toka. Ndër gjetjet e tij ishte një vazo e zbukuruar me mbishkrime, që ofronte njohuri mbi kronologjinë dhe trashëgiminë e popujve që e kishin krijuar atë.

Ndërsa ditët shndërroheshin në javë, vendi i gërmimeve zbuloi më shumë se thjesht objekte; ai zbuloi tregime dashurie, luftë dhe inovacioni. Një zbulim i rëndësishëm ishte një seri rrënojash që aludonin në gjeninë arkitektonike të qytetërimit, duke nxitur një eksplorim më të thellë të mënyrës së tyre të jetesës.

Kulmi i punës së Alexit nuk ishte thjesht në ruajtjen e këtyre artifakteve, por në restaurimin e një kapitulli që kishte qenë i fshirë nga librat e historisë. Mbishkrimet bënë zërin për ata që nuk kishin zë, duke jehonuar arritjet dhe sfidat e një epoke të shkuar.

Përmes dokumentimit të kujdesshëm dhe konservimit, Alex siguroi që trashëgimia e kësaj qytetërimi të lashtë të nderohej dhe të studiohej për breza të ardhshëm. Ekspedita e tij ishte një dëshmi për fuqinë e përhershme të arkeologjisë për të lidhur të kaluarën me të tashmen, duke ndriçuar rrjetin e ndërthurur të historisë njerëzore.

Vocabulary

Echoes	Jehona
Archaeology	Arkeologji
Relic	Relikë
Civilization	Qytetërim
Ruins	Rrënoja
Excavate	Gërmoj
Artifact	Artifakt
Heritage	Trashëgimi
Inscription	Mbishkrim
Dynasty	Dinasti
Preservation	Ruajtje
Ancestral	Stërgjyshor
Chronology	Kronologji
Expedition	Ekspeditë
Restoration	Restaurim

Questions About the Story

1. *What is Alex's profession?*

   a) Historian
   b) Archaeologist
   c) Geologist

2. *What did Alex's latest expedition uncover?*

   a) Gold treasures
   b) Relics of a forgotten dynasty
   c) Natural minerals

3. *What was one of the finds during the excavation?*

   a) A golden crown
   b) A vase with inscriptions
   c) A map of the ancient world

4. *What did the ruins hint at?*

   a) The poverty of the civilization
   b) The civilization's architectural genius
   c) The civilization's lack of culture

5. *What was achieved by preserving the artifacts?*

   a) Increased tourism
   b) Financial gain
   c) Restoration of a chapter long erased from history books

Correct Answers:

1. b) Archaeologist
2. b) Relics of a forgotten dynasty
3. b) A vase with inscriptions
4. b) The civilization's architectural genius
5. c) Restoration of a chapter long erased from history books

- Chapter Thirteen -
THE CODEBREAKERS

Kodthyesit

Në një botë të mbuluar nga kërcënimi i spiunazhit, një grup kodthyesish qëndronte si heronjtë e pashpallur të inteligjencës. Misioni i tyre ishte të thyenin kodet e komunikimeve të armikut, një detyrë që kërkonte zotësi në kriptografi dhe një kuptim të thellë të algoritmeve komplekse. Çdo mesazh i kapur ishte i koduar, i mbështjellë në shtresa të fshehtësisë.

Anna, një kodthyes brilante, punonte për të deshifruar një kod veçanërisht sfidues që mbante informacione konfidenciale të rëndësishme për sigurinë kombëtare. Kodimi dukej i pathyeshëm, por Anna dhe ekipi i saj përdorën ekspertizën e tyre në operacionet e fshehta, duke kuptuar se çelësi i dekodimit qëndronte në modelet e fshehura brenda kodit.

Duke përdorur algoritme të avancuara, ekipi punoi pa pushim, përpjekjet e tyre ishin një valle intelekti dhe intuitë. Të dhënat e mbikëqyrjes sugjeronin një kërcënim të afërt, duke bërë detyrën e tyre jo vetëm një çështje inteligjence, por edhe urgjence.

Në fund, pas ditëve të përpjekjeve të pandalshme, Anna arriti të thyejë kodin. Mesazhi i deshifruar zbuloi planet për spiunazh kundër vendit të saj, duke lejuar operativët të ndërhynin dhe pengonin qëllimet e armikut.

Suksesi i kodthyesve ishte një dëshmi e fuqisë së punës së inteligjencës. Ndërsa emrat e tyre mbeteshin të klasifikuar, kontributi i tyre në sigurinë kombëtare ishte i madh. Ata operonin në hije, fitoret e tyre ishin të njohura vetëm nga të paktë, megjithatë ata ishin rojtarë të paqes në një epokë lufte të fshehtë.

Vocabulary

Codebreaker	*Kodthyes*
Cipher	*Kod*
Encryption	*Kodim*
Decipher	*Deshifroj*
Intelligence	*Inteligjencë*
Espionage	*Spiunazh*
Cryptography	*Kriptografi*
Algorithm	*Algoritm*
Confidential	*Konfidencial*
Surveillance	*Mbikëqyrje*
Operative	*Operativ*
Covert	*I fshehtë*
Intercept	*Ndërhyj*
Decode	*Dekodoj*
Classified	*I klasifikuar*

Questions About the Story

1. *What was the primary mission of the codebreakers?*

   a) To invent new codes
   b) To crack the ciphers of enemy communications
   c) To spread propaganda

2. *What skill was essential for the codebreakers' mission?*

   a) Physical strength
   b) Mastery in cryptography and understanding of algorithms
   c) Ability to speak multiple languages fluently

3. *What was the nature of the information in the challenging cipher Anna worked on?*

   a) Personal data
   b) Confidential information crucial to national security
   c) Financial records

4. *What approach did Anna and her team take to decipher the encrypted message?*

   a) Guessing the password
   b) Using advanced algorithms and recognizing hidden patterns
   c) Asking the enemy directly

5. *What did the surveillance data hint at?*

   a) A surprise party
   b) An upcoming natural disaster
   c) An imminent threat

Correct Answers:

1. b) To crack the ciphers of enemy communications
2. b) Mastery in cryptography and understanding of algorithms
3. b) Confidential information crucial to national security
4. b) Using advanced algorithms and recognizing hidden patterns
5. c) An imminent threat

- Chapter Fourteen -
THE QUANTUM LEAP

Hapi Kuantik

Në një laborator të avancuar, një grup shkencëtarësh nisi një eksperiment që mund të ndryshonte kuptimin tonë për universin. E udhëhequr nga Dr. Emily, një fizikante e apasionuar pas mekanikës kuantike, ekipi synonte të demonstronte përfshirjen kuantike në një shkallë të paparë më parë. Studimi i tyre ishte i fokusuar në mënyrën se si grimcat, pasi përfshihen, mund të ndikojnë njëra-tjetrën në mënyrë të menjëhershme, pavarësisht nga distanca që i ndan.

Dr. Emily besonte se zotërimi i përfshirjes mund të hapte dyer drejt dimensioneve të reja dhe mund të ofronte prova të ekzistencës së universit paralel. Teoria e saj ishte se këto lidhje kuantike formonin strukturën e realitetit tonë, një koncept që e shuante kufirin mes shkencës dhe sferave të panjohura.

Eksperimenti përfshinte izolimin e atomeve dhe drejtimin e energjisë ndaj tyre në një mjedis të kontrolluar. Ndërsa procesi filloi, laboratori u mbush me pritje. Papritur, të dhënat treguan një model të papritur, duke sugjeruar se grimcat e përfshira po komunikonin ndër dimensione.

Ky përparim ishte më shumë se një arritje shkencore; ishte një vështrim në potencialin e fizikës kuantike për të revolucionarizuar teknologjinë dhe inovacionin. Hipoteza e Dr. Emily's aludonte në ekzistencën e universit paralel, duke nxitur një epokë të re të kërkimit dhe eksplorimit.

Hapi kuantik i arritur nga Dr. Emily dhe ekipi i saj u festua si një hap i madh në fizikë, duke dëshmuar se universi është shumë më i ndërthurur dhe misterioz se sa kishim imagjinuar ndonjëherë.

Vocabulary

Quantum	*Kuantik*
Particle	*Grimcë*
Physics	*Fizikë*
Entanglement	*Përfshirje*
Dimension	*Dimension*
Experiment	*Eksperiment*
Theory	*Teori*
Atom	*Atom*
Energy	*Energji*
Parallel universe	*Univers paralel*
Innovation	*Inovacion*
Breakthrough	*Përparim*
Hypothesis	*Hipotezë*
Research	*Kërkim*
Scientist	*Shkencëtar*

Questions About the Story

1. *What was the main goal of Dr. Emily and her team's experiment?*

    a) To create a new energy source
    b) To demonstrate quantum entanglement on an unprecedented scale
    c) To invent a time machine

2. *What does quantum entanglement allow particles to do?*

    a) Change color
    b) Affect each other instantaneously, regardless of distance
    c) Become invisible

3. *What potential doors could mastering entanglement unlock according to Dr. Emily?*

    a) New dimensions and evidence of parallel universes
    b) Unlimited energy resources
    c) Faster-than-light travel

4. *What unexpected pattern did the data reveal during the experiment?*

    a) A decrease in energy levels
    b) A simple repeating sequence
    c) That the entangled particles were communicating across dimensions

5. *What did Dr. Emily's hypothesis suggest about the universe?*

    a) That it is finite and well-understood
    b) That it consists solely of what we can see and touch
    c) That it is far more interconnected and mysterious than ever imagined

Correct Answers:

1. b) To demonstrate quantum entanglement on an unprecedented scale
2. b) Affect each other instantaneously, regardless of distance
3. a) New dimensions and evidence of parallel universes
4. c) That the entangled particles were communicating across dimensions
5. a) A glimpse into the potential of quantum physics to revolutionize technology

- Chapter Fifteen -
THE HEALER'S SECRET

Sekreti i Mjekëses

Në një fshat të vogël të vendosur mes kodrinave bërthamore dhe pyjeve të gjelbëra, jetonte një mjekëse e njohur për ilaçet e saj të mrekullueshme. Mariana, me njohuritë e saj të thella për eliksire bimore, ishte ruajtëse e një sekreti të lashtë që ishte trashëguar brez pas brezi. Përzierja e saj më e fuqishme nuk ishte gjetur në asnjë libër; ishte një përzierje e alkimisë, urtësisë dhe një prekje të mistershme.

Një mbrëmje, erdhi një udhëtar që kërkonte ndihmë për një sëmundje që askush nuk mund ta shëronte. Mariana e dinte se ky ishte momenti për të përdorur eliksirin e saj më të shenjtë, një eliksir të gatuar nga barërat më të rralla, duke ndjekur një ritual aq të vjetër sa vetë koha. "Ky eliksir," shpjegoi ajo, "mban thelbin e tokës, pastërtinë e ujit dhe vitalitetin e ajrit."

Ndërsa përgatiste ilaçin, Mariana ndau sekretin e fuqive të saj shëruese. Nuk ishte vetëm për vetitë mjekësore të barërave ose saktësinë e alkimisë. Shërimi i saj ishte thellësisht holistik, duke përfshirë trupin, mendjen dhe shpirtin në terapi. Sekreti, zbuloi ajo, qëndronte në besimin në aftësinë natyrore të trupit për të shëruar, të ndihmuar nga urtësia e lashtë e eliksirit.

Udhëtari piu potionin, dhe deri në mëngjes, sëmundja kishte zhdukur. Fshati ishte plot me biseda për shërimin mrekullueshëm të Marianës, por ajo mbeti e përulur. Sekreti i saj nuk ishte në eliksirin vetë, por në traditën e shërimit që shihte çdo ilaç si pjesë e një terapie më të madhe, holistike.

Vocabulary

Healer	Mjekëse
Remedy	Ilaç
Herbal	Bimor
Elixir	Eliksir
Alchemy	Alkimi
Ancient	I lashtë
Wisdom	Urtësi
Ritual	Ritual
Cure	Shëroj
Secret	Sekret
Medicinal	Mjekësor
Potion	Potion
Tradition	Traditë
Holistic	Holistik
Therapy	Terapi

Questions About the Story

1. *What is Mariana known for in her village?*

    a) Her cooking skills
    b) Her remarkable healing remedies
    c) Her storytelling abilities

2. *What makes Mariana's most potent concoction special?*

    a) It is made from common herbs
    b) It is available in every book
    c) It includes a touch of the mystical

3. *What does the sacred elixir contain according to Mariana?*

    a) Only water
    b) The essence of the earth, the purity of water, and the vitality of
       the air
    c) Toxic substances

4. *What approach does Mariana's healing involve?*

    a) Only physical healing
    b) Only mental healing
    c) Holistic, involving body, mind, and spirit

5. *What was the result of the traveler drinking Mariana's potion?*

    a) The illness worsened
    b) The illness remained the same
    c) The illness vanished by morning

Correct Answers:

1. b) Her remarkable healing remedies
2. c) It includes a touch of the mystical
3. b) The essence of the earth, the purity of water, and the vitality of the air
4. c) Holistic, involving body, mind, and spirit
5. c) The illness vanished by morning

- Chapter Sixteen -
SHADOWS IN THE MIRROR

Hijet në Pasqyrë

Eva qëndronte përpara pasqyrës antike që kishte gjetur në bodrumin e gjyshes së saj. Ajo ishte e njohur për pasqyrimet e saj të deformuara në një mënyrë që dukej pothuajse e frikshme. Sot, megjithatë, sipërfaqja e pasqyrës dukej sikur shkëlqente, duke ofruar jo vetëm një imazh të deformuar, por një shikim të tmerrshëm në diçka përtej.

Ndërsa shikonte, reflektimi filloi të ndryshonte, duke zbuluar një figurë të mbuluar në mister. Kjo nuk ishte një iluzion; ishte sikur pasqyra shërbente si një portal, duke shkatërruar kufirin midis të njohurit dhe të padukshmit. Figura, një prani hijerëndë, dukej sikur e thërriste atë, duke zbuluar sekrete që Eva nuk i kishte imagjinuar kurrë.

Të drejtuar nga një kureshtje e pashuar, Eva shtriu dorën, duke prekur xhamin e ftohtë. Me habitinë e saj, sipërfaqja u copëtua, copat u varën të pezulluara në ajër, secila copë një iluzion i kohës dhe hapësirës, duke deformuar dhomën përreth saj.

Figura në pasqyrë, tani e qartë, zbuloi një sekret të fshehur prej kohësh. Kjo pasqyrë nuk ishte vetëm një objekt, por një mbrojtëse e mistereve, një relikë nga një e kaluar ku realiteti mund të ndryshohej me një kapriço. Figura, një mbrojtëse e këtyre sekreteve, tani i besonte Evës për të zgjidhur misterin dhe zbuluar të vërtetën e fshehur në thellësitë e pasqyrës.

Me një frymë të thellë, Eva hapi hapin përmes pasqyrës, në një botë ku realiteti ishte vetëm një fragment i imagjinatës, e gatshme të zbulonte atë që fshihej përtej hijeve.

Vocabulary

Reflection	*Reflektim*
Distort	*Deformoj*
Illusion	*Iluzion*
Haunting	*Të tmerrshme*
Reveal	*Zbuloj*
Secret	*Sekret*
Eerie	*E frikshme*
Shatter	*Shkatërroj*
Figure	*Figurë*
Unravel	*Zgjidh*
Mystery	*Mister*
Obscure	*I padukshëm*
Glimpse	*Shikim*
Fragment	*Copë*
Alter	*Ndryshoj*

Questions About the Story

1. *Where did Eva find the antique mirror?*

   a) In a local store
   b) In her grandmother's attic
   c) At a flea market

2. *What was unique about the mirror?*

   a) It could sing
   b) It distorted reflections in an eerie way
   c) It was unbreakable

3. *How did the mirror's reflection change?*

   a) It became brighter
   b) It showed a different room
   c) It revealed a shadowy figure

4. *What happened when Eva touched the mirror?*

   a) It sang a melody
   b) It shattered, with fragments hanging in the air
   c) It became warm

5. *What did the figure in the mirror turn out to be?*

   a) A lost family member
   b) A portal to another dimension
   c) A protector of secrets

Correct Answers:

1. b) In her grandmother's attic
2. b) It distorted reflections in an eerie way
3. c) It revealed a shadowy figure
4. b) It shattered, with fragments hanging in the air
5. c) A protector of secrets

- Chapter Seventeen -
THE LAST SYMPHONY

Simfonia e Fundit

Në zemrën e një salle koncerti madhështore, një orkestër përgatitej për atë që do të ishte një performancë historike. Dirigjenti, një virtuoz i njohur për interpretimet e tij pasionante, ishte gati të udhëhiqte finalen e kompozimit të tij më të ri. Provat kishin qenë dëshmi e përkushtimit të tyre, çdo notë dhe krescendo ishte stërvitur me përpikmëri për të arritur harmoninë perfekte.

Ndërsa ouvertura filloi, melodia mbushi sallën, secili instrumentalist luante me një saktësi që i frymëzonte jetë partiturës. Performanca ishte më shumë se thjesht një shfaqje e talentit muzikor; ishte kulmi i viteve të punës së vështirë, një kompozim që tregonte një histori triumfesh dhe vështirësish.

Finalja po afrohej, dhe dirigjenti ngriti dirigjentin më lart, duke udhëhequr orkestrën përmes krescendos që do të shënonte kulmin e simfonisë. Muzika arriti kulmin e saj, duke përfshirë audiencën në një valë emocioni, përpara se të qetësohej ngadalë në një melodi të butë që sinjalizonte fundin.

Performanca përfundoi me duartrokitje të fuqishme, thirrjet për një shtesë jehonin nëpër sallë. Ishte një moment triumfi, jo vetëm për dirigjentin dhe orkestrën e tij, por për artin e muzikës vetë. Kjo simfoni, ndoshta e fundit e dirigjentit, do të mbahet mend si një veprë mjeshtërore, një harmoni tingujsh që tejkalonte sallën e koncerteve dhe prekte shpirtrat e të gjithëve që dëgjonin.

Vocabulary

Orchestra	*Orkestra*
Crescendo	*Krescendo*
Conductor	*Dirigjent*
Rehearsal	*Prova*
Finale	*Finalja*
Composition	*Kompozimi*
Harmony	*Harmonia*
Performance	*Performanca*
Overture	*Ouvertura*
Melody	*Melodia*
Score	*Partitura*
Instrumental	*Instrumental*
Encore	*Shtesë*
Virtuoso	*Virtuoz*
Applause	*Duartrokitje*

Questions About the Story

1. *Where did the historic performance take place?*

   a) In an open park
   b) In a grand concert hall
   c) In a small jazz club

2. *What was unique about the conductor's latest composition?*

   a) It was composed in a single day
   b) It was performed without rehearsal
   c) It was the finale of his latest composition

3. *What characterized the rehearsal process?*

   a) Lack of interest
   b) Meticulous practice for perfect harmony
   c) Improvisation by the instrumentalists

4. *What did the performance symbolize?*

   a) A simple display of musical talent
   b) The culmination of years of hard work telling a story of
      triumphs and tribulations
   c) An experimental phase of music

5. *What marked the climax of the symphony?*

   a) A sudden silence
   b) A solo performance by the conductor
   c) A crescendo guided by the conductor

Correct Answers:

1. b) In a grand concert hall
2. c) It was the finale of his latest composition
3. b) Meticulous practice for perfect harmony
4. b) The culmination of years of hard work telling a story of triumphs and tribulations
5. c) A crescendo guided by the conductor

- Chapter Eighteen -
WHISPERS OF THE ANCIENT

Pëshpëritjet e lashtësisë

Mes rrënojave të shtrira të atij që dikur ishte një qytetërim i madh, një arkeolog zbuloi një pergamenë, skajet e së cilës ishin të vjetëruara por hieroglifet ende të dukshme. Kjo zbulim premtoi të zbulojë mitologjinë dhe sekretet e një shoqërie që kishte lulëzuar shekuj më parë. Vendi i gërmimeve ishte i mbushur me entuziazëm ndërsa zbuloheshin më shumë artifakte, secila pjesë e lashtë një gjurmë për të kaluarën.

Pergamenë i çoi ekipin në një kriptë, e fshehur nën shtresa të dheut, e paprekur nga koha. Brenda, muret ishin zbukuruar me mbishkrime që tregonin një sagë triumfesh dhe dështimesh, të perëndive dhe njerëzve. Ndër reliket, një artifakt veçanërisht i spikatur tërhoqi vëmendjen e të gjithëve—një statujë e mbushur me trashëgiminë e një tërë qytetërimi.

Ndërsa dekodonin hieroglifet, pëshpëritjet e lashtësisë duket se jehonin nëpër rrënoja, duke sjellë në jetë historitë që kishin qenë të heshtura për mijëvjeçarë. Kjo zbulim nuk ishte vetëm për nxjerrjen e relikave; ishte për rilidhjen me të kaluarën, për nderimin e trashëgimisë së atyre që kishin ardhur më parë.

Arkeologu, i qëndruar mes rrënojave, ndjeu një lidhje të thellë me qytetërimin e lashtë. Pëshpëritjet e së kaluarës kishin zbuluar sekretet e tyre, duke lejuar botën moderne të shikonte në jetët e atyre që kishin formuar historinë.

Vocabulary

Ruins	*Rrënoja*
Civilization	*Qytetërim*
Scroll	*Pergamenë*
Archaeologist	*Arkeolog*
Hieroglyphs	*Hieroglifet*
Mythology	*Mitologji*
Excavation	*Gërmime*
Artifact	*Artifakt*
Ancient	*I lashtë*
Inscription	*Mbishkrim*
Legacy	*Trashëgimi*
Unearth	*Gërmoj*
Relic	*Relikë*
Crypt	*Kriptë*
Saga	*Sagë*

Questions About the Story

1. *What did the archaeologist discover among the ruins?*

    a) A modern tool
    b) An ancient scroll
    c) A digital device

2. *What was significant about the scroll?*

    a) It was completely blank
    b) It contained modern art
    c) It promised to unveil the mythology of an ancient civilization

3. *Where did the scroll lead the team?*

    a) To a modern city
    b) Back to their campsite
    c) To a hidden crypt

4. *What adorned the walls of the crypt?*

    a) Graffiti
    b) Movie posters
    c) Inscriptions of the civilization's saga

5. *Which artifact caught everyone's eye inside the crypt?*

    a) A modern sculpture
    b) A statue with the civilization's legacy
    c) A plastic model

Correct Answers:

1. b) An ancient scroll
2. c) It promised to unveil the mythology of an ancient civilization.
3. c) To a hidden crypt
4. c) Inscriptions of the civilization's saga
5. b) A statue with the civilization's legacy

- Chapter Nineteen -
THE CELESTIAL EVENT

Ngjarja Qiellore

Në një observator të largët në majë të një mali, një astronom vëzhgonte qiellin e natës, duke pritur një ngjarje qiellore që nuk ishte parë prej shekujsh. Galaksia ishte gati të ofronte një shfaqje me rrëshqitje meteorësh, një eklips dhe kalimin e një komete të ndritshme, të gjitha të dukshme me sy të lirë.

Me teleskopin drejtuar nga qielli, astronomi u mahnit nga ndriçimi i kometës që po afronte, me bishtin e saj që shkëlqente kundër sfondit kozmik. Observatori u bë një vend mbledhjeje për ata që ishin të etur të dëshmonin radhitjen e planetëve dhe yjeve, duke formuar një konstelacion që tregonte histori të vjetra.

Ndërsa eklipsi filloi, duke hedhur hije mbi observatorin, të gjithë mbajtën frymën. Fenomeni diellor errësoi qiellin, por ishte rrëshqitja e papritur e meteorëve që tërhoqi frymëmarrjet e turmës. Nata ishte e gjallë me dritë dhe ngjyra, një dëshmi për mrekullitë e pafund të universit.

Ngjarja ishte më shumë se një kuriozitet shkencor; ishte një kujtesë për gjithësinë e hapësirës dhe vendin tonë brenda saj. Për astronomun, ishte një moment i thellë lidhjeje me të qiellorën, një kujtesë përse kozmosi kishte thirrur gjithmonë tek ai.

Vocabulary

Meteor	*Meteor*
Eclipse	*Eklips*
Galaxy	*Galaksi*
Observatory	*Observator*
Astronomer	*Astronom*
Celestial	*Qiellor*
Comet	*Kometë*
Telescope	*Teleskop*
Phenomenon	*Fenomen*
Orbit	*Orbitë*
Constellation	*Konstelacion*
Luminosity	*Ndriçimi*
Solar	*Diellor*
Cosmic	*Kozmik*
Alignment	*Radhitje*

Questions About the Story

1. *Where is the observatory located?*

    a) In a bustling city
    b) Deep underwater
    c) High on a mountain

2. *What celestial phenomena were expected during the event?*

    a) Rainbow and sunshine
    b) Snowfall and thunderstorms
    c) Meteor showers, an eclipse, and a comet

3. *What captivated the astronomer's attention through the telescope?*

    a) A distant galaxy
    b) The luminosity of the approaching comet
    c) A spaceship

4. *What did the observatory become a gathering place for?*

    a) A music concert
    b) Those eager to witness the celestial alignment
    c) A science fair

5. *What was the crowd's reaction to the meteor streaks?*

    a) Indifference
    b) Fear
    c) Gasps of amazement

Correct Answers:

1. c) High on a mountain
2. c) Meteor showers, an eclipse, and a comet
3. b) The luminosity of the approaching comet
4. b) Those eager to witness the celestial alignment
5. c) Gasps of amazement

- Chapter Twenty -
THE UNSEEN WORLD

Bota e Padukshme

Në një qytet të qetë të mbuluar në mister, një parapsikologe e njohur për lidhjen e saj me të paranormalen organizoi një seancë për të eksploruar botën e padukshme. Dhoma, e ndriçuar dobët nga qirinjtë, ishte e mbushur me individë të kureshtë që dëshironin të dëshmonin ose të komunikonin me entitete përtej botës fizike.

Ndërsa parapsikologia hyri në transë, ajri u bë etër dhe një të ftohtë përhapej nëpër dhomë. Një shpirt, një shfaqje nga një dimension tjetër, u manifestua para pjesëmarrësve të habitur. Aura e tij ishte një dritë pulsuese, e dukshme vetëm për të parashikueshmen, e cila përshkroi praninë në detaje të gjalla.

Shpirti, i lidhur me tokën nga hauntet e pazgjidhura, përcolli mesazhe përmes telepati, një urë midis të gjallëve dhe të supranaturalit. Parapsikologia ndërmjetësoi këtë shkëmbim, duke zbuluar sekrete dhe qetësuar trazirat e poltergeistit, i cili kishte shkaktuar trazira në shtëpinë e njërit nga të ftuarit.

Në fund të seancës, shfaqja gjeti paqe, duke ndërprerë hauntin e saj dhe duke u larguar nga bota fizike. Pjesëmarrësit mbetën të mahnitur, duke prekur skajin e botës supranaturale, një kujtesë se realiteti ynë është vetëm një pjesë e asaj që ekziston përtej perdes së perceptimit.

Vocabulary

Paranormal	*Paranormal*
Entity	*Entitet*
Specter	*Shpirt*
Psychic	*Parapsikologe*
Haunt	*Haunt*
Ether	*Etër*
Seance	*Seanca*
Apparition	*Shfaqje*
Clairvoyant	*Parashikuese*
Poltergeist	*Poltergeist*
Dimension	*Dimension*
Aura	*Aura*
Supernatural	*Supranatural*
Manifestation	*Manifestim*
Telepathy	*Telepati*

Questions About the Story

1. *What was the purpose of the seance hosted by the psychic?*

    a) To celebrate a festival
    b) To explore the unseen world
    c) To conduct a scientific experiment

2. *How did the room change as the psychic entered a trance?*

    a) It became brightly lit
    b) It filled with music
    c) A chill spread throughout the room

3. *What manifested before the attendees during the seance?*

    a) A gust of wind
    b) A specter
    c) A firework display

4. *How did the psychic communicate with the apparition?*

    a) Using a phone
    b) Through telepathy
    c) By writing letters

5. *What issue was the specter causing before finding peace?*

    a) It was lost and needed directions
    b) It was causing disturbances in a guest's home
    c) It was stealing items from the psychic

Correct Answers:

1. b) To explore the unseen world
2. c) A chill spread throughout the room
3. b) A specter
4. b) Through telepathy
5. b) It was causing disturbances in a guest's home

- Chapter Twenty-One -
SECRETS OF THE DEEP SEA

Sekretet e Detit të Thellë

Thellë nën sipërfaqen e oqeanit, ku drita pothuajse nuk arrin, ndodhet abisi, një mbretëri e detit të thellë e mbuluar në mister. Këtu, në thellësitë e thella, një ekip shkencëtarësh në një nëndetëse nisi një mision eksplorimi për të zbuluar sekretet e kësaj ekosistemi të paprekur.

Ndërsa zbritën në hendek, errësira i përshkoi, vetëm për të qenë e ndriçuar nga biolumineshenca mahnitëse e krijesave detare. Ky spektakël nënujor ishte si një valle kozmike, ku lloje të florës dhe faunës, të pa parë nga sytë njerëzorë, lulëzonin në burimet hidrotermale, duke krijuar një oazë jete në fushën abisale.

Eksploruesit ujqian u mahnitën nga formacionet e koraleve, të cilat shërbenin si shtylla kurrizore e këtij ekosistemi të thellë detar, duke mbështetur një varietet të formave të jetës. Ndër to, predatoret rrinin fshehur, të përshtatur në mënyrë perfekte me errësirën, duke u mbështetur në aftësitë e tyre bioluminescente për të tërhequr prenë e tyre.

Ky udhëtim nëndetës në thellësitë zbuloi ekuilibrin e hollë të ekosistemit të detit të thellë, ku çdo organizëm luante një rol në mbajtjen e jetës. Shkencëtarët dokumentuan lloje të reja, duke kontribuar në kuptimin tonë për botën e madhe dhe misterioze të oqeanit.

Eksplorimi i tyre nënvizoi rëndësinë e ruajtjes së këtyre kufijve nënujorë, ku sekretet e qëndrueshmërisë dhe adaptueshmërisë së jetës qëndrojnë në abis, larg arritjes njerëzore.

Vocabulary

Abyss	*Abis*
Bioluminescence	*Bioluminesencë*
Submersible	*Nëndetëse*
Marine	*Detar*
Trench	*Hendek*
Ecosystem	*Ekosistem*
Aquatic	*Ujqian*
Species	*Lloje*
Coral	*Koral*
Hydrothermal	*Hidrotermal*
Depth	*Thellësi*
Exploration	*Eksplorim*
Predator	*Predator*
Flora	*Flora*
Fauna	*Fauna*

Questions About the Story

1. *What is the primary objective of the scientists' mission in the story?*

    a) To explore an ancient shipwreck
    b) To uncover the secrets of the deep sea ecosystem
    c) To find buried treasure

2. *What phenomenon allows the scientists to see in the deep, dark depths of the ocean?*

    a) Moonlight filtering through the water
    b) Electric lights from the submersible
    c) The reflection of sunlight on the ocean surface

3. *What serves as the backbone of the deep-sea ecosystem according to the story?*

    a) Marine predators
    b) Plankton
    c) Coral formations

4. *How do predators in the deep sea attract their prey?*

    a) By moving silently in the dark
    b) By using bioluminescent abilities
    c) By creating vibrations in the water

5. *What was a significant outcome of the scientists' exploration?*

    a) The discovery of a new island
    b) The documentation of new species
    c) Finding a lost city

Correct Answers:

1. b) To uncover the secrets of the deep sea ecosystem
2. b) Electric lights from the submersible
3. c) Coral formations
4. b) By using bioluminescent abilities
5. b) The documentation of new species

- Chapter Twenty-Two -
THE ILLUSIONIST'S GAME

Loja e Iluzionistit

Nën dritat e një skene të madhe, një iluzionist ishte i përgatitur për të mahnitur një audiencë të etur me një performancë që e bënte të paqartë vijën midis realitetit dhe të pakuptueshmes. Shfaqja premtoi një sërë mashtrimesh, nga magjia e duarve te arti i prestidixhitacionit, çdo truk ishte planifikuar me kujdes për të devijuar dhe tërhequr vëmendjen.

Ndërsa dritat u zbehën, iluzionisti bëri një hyrje dramatike, duke tërhequr vëmendjen e audiencës që nga momenti i shfaqjes së tij. Akti i tij i parë ishte një shfaqje klasike e mashtrimit, ku objektet dukeshin sikur zhdukeshin në ajër, për të rishfaqur më pas në vendet më të papritura. Turma ngriu në mahnitje, duartrokitjet e tyre ushqenin entuziazmin e iluzionistit.

Performanca u intensifikua me çdo akt, nga objektet që leviznin në ajër duke sfiduar gravitetin te një arratisje që dukej e pamundur. Iluzionisti, një mjeshër i devijimit, e udhëhoqi audiencën përmes një labirinti enigmash, secila më e çuditshme se e mëparshmja.

Për finalen, iluzionisti njoftoi një truk që nuk ishte tentuar kurrë më parë në skenë. Me audiencën në pritje, ai leviz në ajër, duke u ngritur mbi skenë pa asnjë mjet të dukshëm mbështetjeje. Spektakli arriti kulmin kur ai papritmas zhduket, për të rishfaqur mes audiencës, duke lënë të gjithë në pabesi.

Loja e iluzionistit ishte një përzierje mjeshtërore e mashtrimit dhe artit, një kujtesë e fuqisë së iluzionit për të magjepsur dhe misterizuar. Ndërsa perdet u mbyllën, audiencën e la duke menduar për sekretet pas magjisë, një dëshmi e aftësisë së iluzionistit për të kthyer të pamundurën në realitet.

Vocabulary

Illusionist	*Iluzionist*
Deception	*Mashtrim*
Trickery	*Magjia e duarve*
Sleight of hand	*Devijim*
Misdirection	*Prestidixhitacion*
Prestidigitation	*Enigmë*
Enigma	*Performancë*
Performance	*Zhduket*
Disappear	*Leviz*
Levitate	*Arratisje*
Escape	*Zbuloj*
Reveal	*Audiencë*
Audience	*Skenë*
Stage	*Iluzion*
Illusion	*Iluzja*

Questions About the Story

1. *What type of performance did the illusionist prepare for the audience?*

    a) A musical concert
    b) A dance recital
    c) A magic show

2. *Which technique did the illusionist use to captivate the audience initially?*

    a) Singing
    b) Sleight of hand
    c) Storytelling

3. *What was the audience's reaction to the illusionist's tricks?*

    a) Boredom
    b) Confusion
    c) Amazement

4. *How did the illusionist escalate the performance?*

    a) By reducing the number of tricks
    b) By performing simpler tricks
    c) By introducing more complex illusions

5. *What was the illusionist's final trick?*

    a) Telling jokes
    b) Levitating and disappearing
    c) Reciting poetry

Correct Answers:

1. c) A magic show
2. b) Sleight of hand
3. c) Amazement
4. c) By introducing more complex illusions
5. b) Levitating and disappearing

- Chapter Twenty-Three -
THE FORGOTTEN PATH

Rruga e Harruar

Në një vend ku egërsia ende pëshpërinte sekrete të lashta, ekzistonte një rrugë, e harruar prej kohësh dhe e rikthyer nga natyra. Kjo rrugë, e mbuluar në legjendë, thuhet se çonte në një vend me trashëgimi mistike, një dritare për ata të guximshëm që të ndërmarrin rrugëtimin e saj enigmatik.

Elena, një kërkuese e historive të humbura, u magjeps nga tregimet për këtë rrugë nga e kaluara e saj stërgjyshore. Kërkimi i saj nuk ishte vetëm për zbulim, por për të zbuluar të vërtetat e mbuluara në vetmi dhe hije. Me vendosmëri, ajo hapi rrugën, e përshëndetur nga egërsia jo si një tokë e braktisur, por si një mbretëri e historive të patreguara që presin të rikthehen.

Ndërsa Elena udhëtoi, rruga zbuloi sekretet e saj në pëshpërima dhe shenja. Çdo hap ishte një vallëzim me enigmat e së kaluarës, që e çonte më afër dritares që stërgjyshërit e saj kishin kërkuar dikur. Rruga, e braktisur nga shumë, ishte një dëshmi e vetmisë së nevojshme për të kuptuar vërtet trashëgiminë e dikujt.

Në fund të udhëtimit, Elena qëndroi para një dritareje të lashtë, drita e së cilës kishte zbehur por ende prekëse. Këtu, ajo zbuloi të vërtetën e kërkimit të saj – se vetë rruga ishte legjenda, një udhëtim mistik përmes vetmisë dhe egërsisë, që rilidh të tashmen me të kaluarën stërgjyshore.

Në heshtjen e rrugës së harruar, Elena gjeti jo vetëm jehonat e atyre që kishin ecur para saj, por edhe një lidhje të rinovuar me trashëgiminë e saj, një lidhje mistike e krijuar në vetminë e kërkimit të saj.

Vocabulary

Path	*Rrugë*
Wilderness	*Egërsi*
Reclaim	*Rikthej*
Legend	*Legjendë*
Quest	*Kërkim*
Enigma	*Enigmë*
Veil	*Mbuloj*
Traverse	*Kaloj*
Ancestral	*Stërgjyshor*
Beacon	*Dritare*
Unveil	*Zbuloj*
Mystical	*Mistik*
Heritage	*Trashëgimi*
Forsaken	*I braktisur*
Solitude	*Vetmi*

Questions About the Story

1. *What does the forgotten path lead to?*

    a) A hidden treasure
    b) A place of mystical heritage
    c) A modern city

2. *Why does Elena decide to follow the path?*

    a) To find a hidden treasure
    b) To escape from danger
    c) To unveil the truths veiled in solitude and shadows

3. *What does Elena discover at the end of her journey?*

    a) An ancient beacon
    b) A map to another treasure
    c) A new species of plant

4. *What is the path described as being reclaimed by?*

    a) The ocean
    b) Nature
    c) A lost civilization

5. *What reveals the path's secrets to Elena?*

    a) A guidebook
    b) Whispers and signs from nature
    c) A local villager

Correct Answers:

1. b) A place of mystical heritage
2. c) To unveil the truths veiled in solitude and shadows
3. a) An ancient beacon
4. b) Nature
5. b) Whispers and signs from nature

- Chapter Twenty-Four -
MIDNIGHT AT THE OASIS

Mesnatë në Oaz

Mesnata në Oaz ishte një kohë si asnjë tjetër. Oazi, një strehë në shkretëtirën e madhe, u transformua nën qiellin e ndriçuar nga hëna në një strehë të qetë. Krijesat natënore lëvizni qetësisht, pëshpërimat e tyre ishin pothuajse të padëgjueshme mbi ujërat e qetë. Ishte një skenë e mbuluar në mistere, ku çdo hije dhe dritë që luanin mbi rërën tregonin tregime të lashta të udhëtarëve dhe karvanëve që kërkonin pushim në përqafimin e saj.

Në një natë të tillë, ndërsa yjet varnin ndriçues mbi kokë, duke hedhur një dritë magjepsëse mbi ujin, një mirazh duket se shfaqej në skajin e oazit. Ai pëshpërinte për qytete të humbura dhe thesare të fshehura, për sekrete të mbuluara nga koha. Ata që e kishin dëshmuar flisnin për zbulime që ndiheshin aq reale sa rëra nën këmbët e tyre, por aq të largëta sa era.

Oazi, me bukurinë e tij të qetë dhe aurën mistike, ishte më shumë se një burim uji; ishte një dritare për ata të humbur në shkretëtirë, një udhëzues për t'u kthyer në rrugën që kërkonin. Prezencën e tij magjepsëse ishte një kujtesë për ekuilibrin delikat midis ashpërsisë së egërsisë dhe qetësisë që mund të gjendej brenda saj.

Në këtë moment unik, nën qiellin e ndriçuar nga hëna dhe yjet, oazi zbuloi veten jo vetëm si një strehë fizike, por si një portal për një kuptim më të thellë të mistereve të padukshme të botës. Ishte një vend ku nata e mbuluar solli zbulime, ku ujërat e qetë pasqyronin jo vetëm hënën, por edhënën e ndritshme të jetës vetë.

Vocabulary

Oasis	*Oaz*
Mirage	*Mirazh*
Nocturnal	*Natënor*
Serenity	*Qetësi*
Moonlit	*I ndriçuar nga hëna*
Whisper	*Pëshpërim*
Tranquil	*I qetë*
Veiled	*I mbuluar*
Revelations	*Zbulime*
Sanctuary	*Strehë*
Luminous	*Ndriçues*
Mystique	*Mister*
Caravan	*Karvan*
Respite	*Pushim*
Enchanting	*Magjepsës*

Questions About the Story

1. *What transforms the oasis at midnight?*

    a) The desert sun
    b) The moonlit sky
    c) A sandstorm

2. *What is said to appear at the edge of the oasis?*

    a) A caravan
    b) A mirage
    c) A lost city

3. *What did the mirage whisper of?*

    a) Upcoming danger
    b) Lost cities and hidden treasures
    c) Water sources

4. *What role does the oasis serve for those lost in the desert?*

    a) A source of food
    b) A trap
    c) A beacon and guide

5. *What does the oasis symbolize?*

    a) The harshness of nature
    b) A balance between wilderness and serenity
    c) The end of a journey

Correct Answers:

1. b) The moonlit sky
2. b) A mirage
3. b) Lost cities and hidden treasures
4. c) A beacon and guide
5. b) A balance between wilderness and serenity

- Chapter Twenty-Five -
THE HIDDEN VALLEY

Lugina e Fshehur

Në një botë të zhurmshme dhe të lëvizshme, ekzistonte një luginë e izoluar, e paprekur nga duart e kohës. Kjo luginë e fshehur, e mbuluar nga mjegullat dhe e fshehur nga sytë e botës moderne, ishte një utopi e krijuar nga natyra. Brenda kufijve të saj, peizazhet gjelbëruese shtriheshin, një tapet i florës dhe faunës që lulëzonte nën kupën e dendur të pemëve të lashta.

Një ekspeditë, e shtyrë nga tregimet për bukurinë e saj të pashkelur dhe biodiversitetin e pakrahasueshëm, nisi për të eksploruar këtë strehë. Ekipi, i përvojshëm në kërkimet e tyre për zbulime natyrore, ecën me kujdes mbi tokën e paprekur, të vetëdijshëm për ekuilibrin delikat që lejonte ekzistencën e një vendi të tillë.

Ndërsa avanconin më thellë, lugina zbuloi banorët e saj, krijesa të mitologjisë dhe shkencës, që jetonin në harmoni në mes të egërsisë gjelbëruese. Ajri ishte i gjallë me korin e të padukshmëve, dhe çdo hap solli një zbulim të ri të hollësive të botës natyrore.

Zbulimi i luginës së fshehur nuk ishte thjesht një ekspeditë; ishte një udhëtim në zemrën e strehës së natyrës. Ai u kujtoi atyre që lundronin në rrugët e saj rëndësinë e ruajtjes dhe respektit për biodiversitetin që mbështet botën tonë.

Legjenda e luginës së fshehur u përhap, një histori për një utopi që ekzistonte përtej ndikimit njerëzor, një kujtesë për mrekullitë e pashkelura të botës që presin të eksplorohen me respekt dhe të ruhen.

Vocabulary

Valley	*Luginë*
Secluded	*E izoluar*
Flora	*Flora*
Fauna	*Fauna*
Verdant	*Gjelbëruese*
Canopy	*Kupë*
Utopia	*Utopi*
Shrouded	*E mbuluar*
Expedition	*Ekspeditë*
Biodiversity	*Biodiversitet*
Sanctuary	*Strehë*
Pristine	*E paprekur*
Inhabitants	*Banorë*
Revelation	*Zbulim*
Uncharted	*E pashkelur*

Questions About the Story

1. *What is the primary setting of "The Hidden Valley" story?*

    a) A bustling city
    b) A secluded valley
    c) A modern laboratory

2. *What motivates the expedition in the story?*

    a) The search for gold
    b) A tale of its uncharted beauty and unparalleled biodiversity
    c) A rescue mission

3. *What does the valley symbolize in the story?*

    a) Danger and mystery
    b) Greed and conquest
    c) Nature's sanctuary and the importance of preservation

4. *How do the explorers interact with the valley?*

    a) They exploit its resources
    b) They tread softly, conscious of the delicate balance
    c) They ignore the natural beauty

5. *What kind of creatures is suggested to inhabit the valley?*

    a) Mythical beasts
    b) Domestic animals
    c) Creatures of both legend and science

Correct Answers:

1. b) A secluded valley
2. b) A tale of its uncharted beauty and unparalleled biodiversity
3. c) Nature's sanctuary and the importance of preservation
4. b) They tread softly, conscious of the delicate balance
5. c) Creatures of both legend and science

- Chapter Twenty-Six -
THE ALCHEMIST'S DIARY

Ditari i Alkimistit

Në një cep të pluhurosur të një biblioteke të vjetër, i fshehur në një grumbull librash të harruar, ndodhej ditari i një alkimisti të lashtë. Ky ditar, i lidhur me lëkurë dhe i shënuar nga koha, përmbante diturinë arkane dhe misionin e pronarit të tij. Faqet e tij, të mbushura me shkrimin e një epoke të kaluar, tregonin një rrëfim të transmutacionit, kërkimin për eliksirin e jetës dhe qëllimin përfundimtar të alkimistit: gurin filozofik.

Alkimisti, i njohur vetëm përmes shënimeve enigmatike të ditarit, fliste për eksperimente dhe potions, formula të shkruara me precizion dhe zbulimin e sekreteve që premtonin pavdekësi. Puna e tij jetësore ishte një kodex i alkimisë, një rrugë për të kthyer plumbin në ar, për të zbuluar misteret e universit, dhe mbi të gjitha, për të arritur një gjendje përtej ciklit të vdekjes.

Ndërsa historia zhvillohej, bëhej e qartë se udhëtimi i alkimistit nuk ishte vetëm për transformimin fizik të elementeve, por për një kërkim më të thellë, më shpirtëror. Dita zbuloi mendimet e tij më të thella mbi jetën, vdekjen dhe natyrën e vetë ekzistencës. Përmes manuskriptit të tij, alkimisti ndau recetat e tij të potions, secila një hap më afër zbulimit përfundimtar.

Megjithatë, dita përfundoi në mënyrë të papritur, faqet e fundit të humbura në kohë. Kërkimi për gurin filozofik mbeti i pazgjidhur, duke lënë lexuesit të pyesin nëse alkimisti arriti ndonjëherë ëndrrën e tij për pavdekësi. Dita qëndroi si dëshmi e punës së tij jetësore, një dritare e dijes që ndriçoi rrugën për kërkuesit e ardhshëm të të fshehtës.

Vocabulary

Alchemist	*Alkimist*
Diary	*Ditari*
Transmutation	*Transmutacion*
Elixir	*Eliksir*
Arcane	*Arkane*
Philosopher's stone	*Guri filozofik*
Alchemy	*Alkimia*
Quest	*Kërkim*
Immortality	*Pavdekësi*
Formula	*Formulë*
Enigmatic	*Enigmatik*
Codex	*Kodex*
Manuscript	*Manuskript*
Potion	*Pocion*
Revelation	*Zbulim*

Questions About the Story

1. What was discovered in a dusty corner of an old library?

    a) An alchemist's diary
    b) A map to hidden treasure
    c) An ancient potion

2. What did the alchemist's diary contain?

    a) Directions to a hidden valley
    b) A story of adventure and love
    c) Arcane wisdom and quests

3. What was the alchemist's ultimate goal mentioned in the diary?

    a) To find a legendary city
    b) To achieve immortality
    c) To become the ruler of a kingdom

4. How did the alchemist plan to achieve his goal?

    a) By mastering swordsmanship
    b) Through the creation of the philosopher's stone
    c) By winning a duel against a dragon

5. What did the alchemist's quest involve, according to the diary?

    a) Time travel to the future
    b) Physical and spiritual transformation
    c) Building a castle

Correct Answers:

1. a) An alchemist's diary
2. c) Arcane wisdom and quests
3. b) To achieve immortality
4. b) Through the creation of the philosopher's stone
5. b) Physical and spiritual transformation

- Chapter Twenty-Seven -
THE FLIGHT OF THE FALCON

Fluturimi i Shqiponjës

Lart mbi territore të hapura dhe të gjera, një shqiponjë lundronte afër horizontit, me krahët e shtrirë, duke përqafuar hapësirën e qiellit. Ky zog madhështor, i njohur për shpejtësinë dhe saktësinë e tij të pakrahasueshme, vëzhgonte territorin e tij me vigjilencë të mprehtë. Pendët e shqiponjës shkëlqenin nën diell, dëshmi e bukurisë dhe forcës së saj.

Nga foleja e saj e vendosur lart në një shkëmb të vështirë, shqiponja kishte nisur fluturimin në agim, duke lundruar me korrentet e ajrit me instinkt të lindur dhe hir. Ajo rrëshqiste pa mundim, sytë e përqendruar fort në tokën poshtë, në kërkim të preës. Bota nën të ishte një mjegull, megjithatë asgjë nuk i shpëtonte vëzhgimit të mprehtë të shqiponjës.

Ndërsa vërente një lëvizje, trupi i shqiponjës tensionohej, gati për të zbritur. Me një shpërthim të shpejtë, ajo ngjitej pak për të zhytur me shpejtësi drejt objektivit të saj. Saktësia e gjuetisë së saj, një valle jetëje dhe mbijetese, ishte mbresëlënëse. Shqiponja, një krijesë e qiellit, trupëzonte frymën e lirisë dhe ndjekjen e palodhur të dëshirave të saj.

Ndërsa dita shkonte drejt mbrëmjes dhe shqiponja kthehej në fole, cikli i jetës së saj vazhdonte. Çdo fluturim ishte një udhëtim, çdo gjueti një sfidë. Bota e shqiponjës, lart mbi tokë, ishte një vend i vigjilencës së vazhdueshme dhe bukurisë madhështore, një mbretëri ku vetëm qielli ishte kufiri.

Vocabulary

Falcon	*Shqiponja*
Soar	*Lundroj*
Horizon	*Horizont*
Majestic	*Madhështore*
Prey	*Pre*
Aerie	*Fole*
Velocity	*Shpejtësi*
Navigate	*Lundroj*
Plumage	*Pendë*
Instinct	*Instinkt*
Gliding	*Rrëshqitje*
Territory	*Territor*
Precision	*Saktësi*
Ascend	*Ngjitem*
Vigilance	*Vigjilencë*

Questions About the Story

1. *What is the falcon known for?*

    a) Unparalleled velocity and precision
    b) Singing
    c) Swimming

2. *Where does the falcon take flight from?*

    a) A tree
    b) The ground
    c) A rocky cliff

3. *What does the falcon use to navigate?*

    a) Maps
    b) The stars
    c) Air currents

4. *What time of day does the falcon's activity begin?*

    a) At dawn
    b) At noon
    c) At dusk

5. *What aspect of the falcon's hunt is emphasized?*

    a) The precision
    b) The slowness
    c) The playfulness

Correct Answers:

1. a) Unparalleled velocity and precision
2. c) A rocky cliff
3. c) Air currents
4. a) At dawn
5. a) The precision

- Chapter Twenty-Eight -
THE SAPPHIRE EYE

Syri i Safirit

Në një mbretëri të mbuluar në enigmë, ekzistonte një artifakt me bukuri dhe fuqi të paparë: Syri i Safirit. Ky gur i çmuar, një trashëgimi e ndritshme e kaluar brez pas brezi, mbante veti mistike të njohura vetëm nga të paktët të zgjedhur. Rrezja e thellë blu e tij mund të ndriçonte këndet më të errëta, duke zbuluar të vërteta të fshehura nga koha.

Legjenda e Syrit të Safirit ishte e lidhur ngushtë me fatin e ruajtjes së tij, një trashëgimi e detyruar të mbrojë trashëgiminë e tij nga ata që lakmonin fuqinë e tij për të keq. Thuhet se qartësia e gurit të çmuar magjeps dhe ndriçon, duke ofruar udhëzim për ata që meritojnë.

Një natë, nën mbulesën e errësirës, një pasardhëse e ruajtësve, Lyla, u thirr në farkën e lashtë ku ruhej Syri i Safirit. Artifakti, duke pulsuar me një dritë hipnotizuese, e thirri atë më afër. Ndërsa mbante safirin, ndriçimi i tij u intensifikua, duke hedhur një dritë rrezatuese që zbuloi një trashëgimi të gjatë të harruar të të parëve të saj.

Lyla kuptoi se guri i çmuar nuk ishte thjesht një trashëgimi, por një shpresë drite, një simbol i bashkimit dhe forcës. Nën mbrojtjen e tij, ajo nisi një mision për të shuar hijet që kërcënonin mbretërinë e saj. Syri i Safirit, me rrezatimin e tij mistik, e udhëhoqi rrugën e saj, trashëgimia e tij një dëshmi e fuqisë së qëndrueshme të dritës mbi errësirën.

Legjenda e Syrit të Safirit dhe e ruajtësve të tij u bë një legjendë, një histori guximi dhe qartësie që magjepsi të gjithë ata që e dëgjuan, duke i kujtuar atyre dritën që banon në zemrën e errësirës.

Vocabulary

Sapphire	*Safir*
Enigma	*Enigmë*
Heirloom	*Trashëgimi*
Illuminate	*Ndriçoj*
Gemstone	*Gur i çmuar*
Mystical	*Mistik*
Legend	*Legjendë*
Artifact	*Artifakt*
Guardianship	*Ruajtje*
Radiance	*Rrezatim*
Clarity	*Qartësi*
Coveted	*Lakmohet*
Forge	*Farkë*
Legacy	*Trashëgimi*
Enthrall	*Magjeps*

Questions About the Story

1. *What is the Sapphire Eye?*

    a) A mystical artifact of unparalleled beauty and power
    b) A simple gemstone with no significance
    c) A map to a hidden treasure

2. *What unique property does the Sapphire Eye possess?*

    a) It can turn lead into gold
    b) Its deep blue radiance can illuminate the darkest corners
    c) It grants the owner immortality

3. *What is the main goal of the guardianship lineage associated with the Sapphire Eye?*

    a) To use its power for malevolence
    b) To protect its legacy from those who covet its power
    c) To sell the gemstone to the highest bidder

4. *What does the Sapphire Eye's clarity offer to those deemed worthy?*

    a) Wealth and prosperity
    b) Guidance and enlightenment
    c) A passage to another dimension

5. *How does the Sapphire Eye guide Lyla in her quest?*

    a) By speaking to her
    b) By casting a radiant light that unveils a long-lost legacy
    c) By transforming into a weapon

Correct Answers:

1. a) A mystical artifact of unparalleled beauty and power
2. b) Its deep blue radiance can illuminate the darkest corners
3. b) To protect its legacy from those who covet its power
4. b) Guidance and enlightenment
5. b) By casting a radiant light that unveils a long-lost legacy

- Chapter Twenty-Nine -
THE INVISIBLE CITY

Qyteti i Padukshëm

Në zemrën e një metropoli të zhurmshme, thashethemet e pëshpëritura flisnin për një Qytet të Padukshëm, një vend i fshehur nga perdeja e realitetit. Ky qytet, një mrekulli arkitekturore, ekzistonte paralelisht me të njohurën, fasadat e tij etere, që shkëlqenin si një mirazh në skajin e perceptimit. Për ata që nuk ishin të nisur, ai ishte vetëm një legjendë urbane, një histori misterioze e trashëguar brez pas brezi.

Eva, një entuziaste e flaktë e eksplorimit urban, u magjeps nga legjenda. E shtyrë nga dëshira për të zbuluar të vërtetën, ajo nisi një mision për të gjetur Qytetin e Padukshëm. Udhëtimi i saj e çoi nëpër kalime të harruara dhe rrugica spektrale, çdo hap e afronte më shumë me zbulimin e metropolit iluzor.

Ndërsa dielli perëndonte, duke hedhur hije që kërcenin si fantazma, Eva hasi në një fasadë që dukej sikur zhdukej dhe rishfaqej me çdo ndezje të syve. Ishte porta drejt Qytetit të Padukshëm, një pamje aq magjepsëse sa sfidonte çdo logjikë.

Duke kaluar nëpër perde, Eva u gjet e mbështjellë në një dritë eterike. Qyteti para saj ishte mahnitës, strukturat e tij sfidonin normat arkitektonike, të pezulluara në një valle enigmatike midis të dukshmes dhe të padukshmes.

Zbulimi i Qytetit të Padukshëm ishte një zbulim, një moment që tejkaloi kufijtë e legjendës urbane dhe realitetit. Eksplorimi i saj zbuloi një botë që ekzistonte përtej të zakonshmes, një metropol spektral që kishte mbetur i fshehur, por i prekshëm për ata që guxonin të shikonin përtej perdes.

Vocabulary

Concealed	*I fshehur*
Mirage	*Mirazh*
Architectural	*Arkitektonik*
Facade	*Fasadë*
Ethereal	*Eterik*
Vanish	*Zhduket*
Urban legend	*Legjendë urbane*
Mystify	*Mistifikoj*
Veil	*Perde*
Uncover	*Zbuloj*
Metropolis	*Metropol*
Illusive	*Iluzor*
Spectral	*Spektral*
Urban exploration	*Eksplorim urban*
Phantom	*Fantazmë*

Questions About the Story

1. *What is the main setting of "The Invisible City"?*

    a) A bustling metropolis
    b) A secluded valley
    c) A dense forest

2. *What captivates Eva to embark on her quest?*

    a) A hidden treasure
    b) A family heirloom
    c) An urban legend

3. *How is the Invisible City described?*

    a) As a technological utopia
    b) As an architectural marvel
    c) As an underwater city

4. *What does Eva use to find the Invisible City?*

    a) A magical compass
    b) Urban exploration skills
    c) A secret map

5. *What phenomenon does Eva witness as she finds the city?*

    a) A building that moves
    b) A facade that vanishes and reappears
    c) A floating island

Correct Answers:

1. a) A bustling metropolis
2. c) An urban legend
3. b) As an architectural marvel
4. b) Urban exploration skills
5. b) A facade that vanishes and reappears

- Chapter Thirty -
LEGENDS OF THE HIGHLANDS

Legjendat e Maleve të Larta

Në Maleve të Larta të mjegullta, ku tregimet aq të vjetra sa koha vetë pëshpërisin nëpër turb dhe liqene, ekziston një legjendë e ndërthurur në vetë pëlhurën e klanëve. Tregimi flet për një tartan të lashtë, një simbol i bashkimit dhe guximit midis burrave të klanit, i njohur për ngjyrat dhe modelet e tij të gjalla unike për çdo klan. Ky tartan nuk ishte thjesht pëlhurë; ishte një krest i nderit, një trashëgimi e rrënjëve të thella në traditat Gjele.

Një natë me hënë, ndërsa tingujt e gajdave jehonin nëpër luginë, u shpalos një sagë—tregimi i një trimeri nga klani MacLeod, i cili u nis në turb për të rikthyer një tartan të vjedhur. Thuhet se tartani ishte i mbushur me fuqinë mitike të Maleve të Larta, besohej se sillte fitore në betejë për ata që e mbartin.

I udhëhequr nga meloditë prekëse të gajdave, trimeri kaloi peizazhin e ashpër, zemra e tij e vendosur në Lojërat e Maleve të Larta ku saga do të arrinte kulmin. Ndërsa afrohej tek liqeni, një perde mjegulle zbuloi luginën e fshehur, duke zbuluar një skenë të klanëve të bashkuar, tartanet e tyre të kombinuara në një tapet të folklorit dhe trashëgimisë.

Me tartanin e rikthyer dhe të veshur mbi supe, saga e trimerit u bë legjendë, një histori e transmetuar brez pas brezi, që u kujton të gjithëve për frymën e përjetshme dhe misterin e Maleve të Larta.

Vocabulary

Highlands	Malet e Larta
Clan	Klan
Tartan	Tartan
Bagpipes	Gajde
Folklore	Folklor
Loch	Liqen
Moor	Turb
Braveheart	Trimeri
Ancestry	Trashëgimi
Crest	Krest
Gaelic	Gjele
Myth	Mit
Battle	Betejë
Highland games	Lojërat e Maleve të Larta
Saga	Sagë

Questions About the Story

1. *What is the ancient tartan a symbol of among the clansmen in the Highlands?*

   a) Victory
   b) Unity and bravery
   c) Wealth

2. *What unique quality does the tartan possess according to the legend?*

   a) It can change colors
   b) It is imbued with mythic power
   c) It can become invisible

3. *Who ventures into the moors to reclaim the stolen tartan?*

   a) A bard from the clan MacGregor
   b) A chieftain from the clan MacDonald
   c) A braveheart from the clan MacLeod

4. *What guides the braveheart through his journey to reclaim the tartan?*

   a) The light of the full moon
   b) A map left by his ancestors
   c) The haunting melodies of the bagpipes

5. *Where does the saga of the braveheart and the tartan reach its crescendo?*

   a) At a castle siege
   b) During a feast in the great hall
   c) At the Highland games

Correct Answers:

1. b) Unity and bravery
2. b) It is imbued with mythic power
3. c) A braveheart from the clan MacLeod
4. c) The haunting melodies of the bagpipes
5. c) At the Highland games

- Chapter Thirty-One -
THE DESERT ROSE

Trëndafili i Shkretëtirës

Në zemër të shkretëtirës së thatë, ku dielli mbretëron pa kundërshtar dhe rërat pëshpërisin tregime të lashta, lulëzon një enigmë e njohur si Trëndafili i Shkretëtirës. Në mes të dyerve që shtrihen si valë në një det rërash, një oaz i vetmuar strehon këtë florë të rrallë, dëshmi e qëndrueshmërisë në vetmi.

Një karvan nomadësh, të udhëhequr nga yjet dhe rrugët e lashta që janë përcjellë brez pas brezi, rrëzohen mbi këtë mirazh. Megjithatë, ndryshe nga iluzionet që shpesh valëviten në horizont, ky oaz ishte real, qetësia e tij një kontrast i theksuar ndaj shtrirjes djegëse që kishin kaluar. Ndër ta, një beduin, i njohur mirë me sekretet e shkretëtirës, pa në Trëndafilin e Shkretëtirës një simbol të mbijetesës dhe qëndrueshmërisë.

Ndërsa një stuhi rëre afron, duke vallëzuar me fuqinë e mijëra shpirtrave, nomadët marrin strehë. Stuhia, një mbrojtëse e ashpër e mistereve të shkretëtirës, nuk mund të pengojë frymën e atyre që e adhurojnë thelbin e saj. Në qetësinë që pasoi, oazi, me trëndafilin e tij të qëndrueshëm, qëndroi i paprekur, bukuria e tij e papërlyer.

Ky takim u bë një legjendë mes nomadëve, një histori e një ekspedite që zbuloi më shumë se vetëm mbijetesën; ajo zbuloi një qetësi të thellë dhe lidhjen e përjetshme midis shkretëtirës dhe banorëve të saj. Trëndafili i Shkretëtirës, me forcën e tij të qetë, vazhdoi të lulëzojë, një dritare e përjetshme për ata që lundrojnë në madhështinë e vetmisë.

Vocabulary

Arid	*I thatë*
Oasis	*Oaz*
Mirage	*Mirazh*
Nomad	*Nomad*
Dunes	*Dyerve*
Caravan	*Karvan*
Scorching	*Djegëse*
Sandstorm	*Stuhi rëre*
Flora	*Flora*
Resilience	*Qëndrueshmëri*
Solitude	*Vetmi*
Expedition	*Ekspeditë*
Survival	*Mbijetesë*
Bedouin	*Beduin*
Serenity	*Qetësi*

Questions About the Story

1. *Where does the Desert Rose bloom?*

   a) In a dense jungle
   b) In an arid desert
   c) Atop a snowy mountain

2. *What symbolizes resilience and solitude in the story?*

   a) A sandstorm
   b) The Desert Rose
   c) A caravan of nomads

3. *What led the nomads to the Desert Rose?*

   a) A map
   b) The stars and ancient routes
   c) A local guide

4. *What did the nomads initially think the oasis was?*

   a) A common watering hole
   b) A mirage
   c) A settled village

5. *What is the Desert Rose a symbol of, according to a Bedouin?*

   a) Danger
   b) Wealth
   c) Survival and endurance

Correct Answers:

1. b) In an arid desert
2. b) The Desert Rose
3. b) The stars and ancient routes
4. b) A mirage
5. c) Survival and endurance

- Chapter Thirty-Two -
THE POLAR MYSTERY

Misteri Polar

Në hapësirat e gjëra dhe të akullta të Arktikut, një ekip ekspeditë vendosi të zgjidhë misteret e fshehura nën shtresat e permafrostit. Ndërsa avanconin më thellë në këtë shkretëtirë të largët, të rrethuar nga akullnajat dhe tundrat e gjëra, bukuria e aurores mbi ta ndriçonte rrugën, duke hedhur një dritë tërësore mbi peizazhin e mbuluar nga bora.

Izolimi ishte shoqërues i vazhdueshëm, me vetëm ndonjëherë shikimin e një ariu polar ose zhurmën e largët të një ajsbergu që thyhej duke i kujtuar ata se nuk ishin krejtësisht të vetmuar në këtë botë të ngrirë. Kushtet e ashpëra testuan qëndrueshmërinë e tyre, ndërsa përballonin kërcënimet e hipotermisë dhe ngricave ndërsa lundronin nëpër dëborën e rëndë dhe mjegullat e bardha që i verbuan.

Sania e tyre, e ngarkuar me furnizime, ishte linja e jetës, duke u lejuar atyre të kalonin nëpër terrenin e akullt dhe të vendosnin iglu si strehimore të përkohshme kundër të ftohtit të acartë. Çdo anëtar i ekipit ishte i vetëdijshëm për rreziqet, por të shtyrë nga një pasion i përbashkët për eksplorim dhe emocionin e zbulimit.

Ndërsa ekspedita përparonte, ekipi zbuloi sekrete të ruajtura gjatë nga kapja e akullt e Arktikut, duke zbuluar të dhëna mbi të kaluarën dhe të tashmen ekologjike të rajonit. Udhëtimi i tyre ishte një dëshmi e guximit njerëzor dhe ndjekjes së palodhshme të dijes, një mister polar që gradualisht u zbulua me çdo milje të kaluar nëpër shkretëtirën arktike.

Vocabulary

Arctic	Arktik
Expedition	Ekspeditë
Permafrost	Permafrost
Aurora	Aurorë
Isolation	Izolim
Glacier	Akullnajë
Hypothermia	Hipotermi
Polar bear	Ariu polar
Iceberg	Ajsberg
Sled	Sani
Igloo	Iglu
Frostbite	Ngricë
Tundra	Tundër
Snowdrift	Dëborë e rëndë
Whiteout	Mjegull e bardhë

Questions About the Story

1. *What was the main objective of the expedition team in the Arctic?*

   a) To explore the vast tundras
   b) To uncover mysteries beneath the permafrost
   c) To study the aurora

2. *What natural phenomenon illuminated the team's path at night?*

   a) The moon
   b) The stars
   c) The northern lights (aurora)

3. *What were the main threats the expedition team faced in the Arctic?*

   a) Hypothermia and frostbite
   b) Wild animals
   c) Avalanches

4. *What did the team use to navigate and shelter themselves in the Arctic?*

   a) Snowmobiles and tents
   b) Sleds and igloos
   c) Helicopters and cabins

5. *How did the expedition team feel about their journey?*

   a) Scared and unprepared
   b) Excited and driven by passion
   c) Indifferent and uninterested

Correct Answers:

1. b) To uncover mysteries beneath the permafrost
2. c) The northern lights (aurora)
3. a) Hypothermia and frostbite
4. b) Sleds and igloos
5. b) Excited and driven by passion

- Chapter Thirty-Three -
THE NAVIGATOR'S QUEST

Misioni i Navigatorit

Në një epokë zbulimesh, një navigator i aftë nisi një mision për të hartuar ujërat e panjohura. I armatosur me një sekstant dhe një frymë të palëkundur, ai ngriti lundrimin për të përcaktuar gjatësinë dhe gjerësinë e vendeve të paeksploruara. Odissea e tij nëpër botën detare nuk ishte vetëm një udhëtim; ishte një kërkim për dije, i udhëhequr nga navigimi yjor dhe yjet.

Ky navigator, gjithashtu një kartograf i mësuar, regjistroi me kujdes udhëtimin e tij në një regjistër, duke detajuar çdo zbulim dhe sfidë. Duke përdorur rozën e kompasit për drejtim dhe trupat qiellore për të udhëhequr rrugën e tij, ai lundroi nëpër dete të rrezikshme dhe ujëra të qeta njësoj.

Qëllimi i tij ishte të bënte një lundrim rreth globit, për të hartuar konturet e botës dhe për të lidhur pikat midis meridianëve dhe ekvatorëve që ndajnë tokën. Hartat e tij u bënë një dritare për lundruesit e ardhshëm, një dëshmi e guximit dhe kureshtjes që përcaktojnë frymën njerëzore.

Nëpër stuhi dhe qetësi, misioni i navigatorit zbuloi horizonte të reja, duke kontribuar në kuptimin tonë për shtrirjen e madhe të planetit. Udhëtimi i tij, një odisë e jashtëzakonshme e eksplorimit detar, nënvizoi rëndësinë e saktësisë, guximit dhe kërkimit të përjetshëm për zbulim.

Vocabulary

Navigator	*Navigator*
Sextant	*Sekstant*
Longitude	*Gjatësi*
Latitude	*Gjerësi*
Cartographer	*Kartograf*
Odyssey	*Odisë*
Maritime	*Detar*
Celestial navigation	*Navigim yjor*
Compass rose	*Rozë e kompasit*
Chart	*Hartë*
Voyage	*Lundrim*
Meridian	*Meridian*
Equator	*Ekuator*
Circumnavigate	*Lundrim rreth globit*
Logbook	*Regjistër*

Questions About the Story

1. *What was the main tool used by the navigator to determine the precise longitude and latitude of unexplored lands?*

    a) Compass
    b) Sextant
    c) Telescope

2. *What was the primary goal of the navigator's quest?*

    a) To find treasure
    b) To circumnavigate the globe
    c) To escape pirates

3. *Which navigation method was used by the navigator to guide his path?*

    a) Celestial navigation
    b) GPS navigation
    c) Dead reckoning

4. *What did the navigator meticulously record in?*

    a) A diary
    b) A novel
    c) A logbook

5. *What symbol did the navigator use for direction?*

    a) Compass rose
    b) North Star
    c) Lighthouse

Correct Answers:

1. b) Sextant
2. b) To circumnavigate the globe
3. a) Celestial navigation
4. c) A logbook
5. a) Compass rose

- Chapter Thirty-Four -
THE BRIDGE BETWEEN WORLDS

Ura Ndërmjet Botëve

Në një laborator të fshehur, i vendosur midis palosjeve të realitetit, një shkencëtar zbuloi një anomali dimensionale që linte të kuptohej ekzistenca e universit paralel. Ky çarje, një fluktuacion i thjeshtë kuantik për syrin e padjallëzuar, ishte një portal drejt një realiteti alternativ. Ndërsa shkencëtari zhytej më thellë në misteret ndër-yjore, ai rrëzoi në një pikë konvergjence—një vrimë dende që vepronte si një urë ndërmjet botëve.

Duke shfrytëzuar vetë pëlhurën e hapësirës, ai krijoj një pajisje të aftë për të kapërcyer kufijtë kohorë dhe dimensionale. Kjo shpikje novatore lejoi teleportimin jo vetëm ndërmjet distancave, por edhe dimensioneve të ndryshme, duke zbuluar multiversin në të gjithë kompleksitetin e tij.

Udhëtimi i parë nëpërmjet portalit ishte një kërcim në të panjohurën. Shkencëtari u gjet në një univers paralel, ku ligjet e fizikës ashtu siç i njihte ai ishin përkulur në mënyra të papërfytyrueshme. Kjo realitet alternativ ishte njëkohësisht fascinuese dhe e frikshme, duke sfiduar kuptimin e tij për ekzistencën vetë.

Ndërsa ai eksploronte më tej, duke lundruar nëpër çarjet dhe vrimat dende, ai hasi versione alternative të realitetit. Çdo univers mbante sekrete unike, që prisnin të zbuloheshin. Ura ndërmjet botëve nuk ishte thjesht një shteg për eksplorim, por një lidhje për të kuptuar potencialin e madh të multiversit.

Zbulimi i urës ndërmjet botëve shënoi një epokë të re në shkencë, ku eksplorimi i dimensioneve dhe i ndër-yjores u bë i mundur. Punë i shkencëtarit kaloi përtej jetëgjatësisë së tij, duke hapur dyer për mundësi të pafund dhe duke vënë në pyetje vetë natyrën e realitetit.

Vocabulary

Dimensional	*Dimensional*
Portal	*Portal*
Rift	*Çarje*
Parallel universe	*Univers paralel*
Interstellar	*Ndër-yjor*
Quantum	*Kuantik*
Anomaly	*Anomali*
Transcend	*Kapërcej*
Temporal	*Kohor*
Convergence	*Konvergjencë*
Wormhole	*Vrimë dende*
Fabric of space	*Pëlhura e hapësirës*
Alternate reality	*Realitet alternativ*
Teleportation	*Teleportim*
Multiverse	*Multivers*

Questions About the Story

1. *What did the scientist discover in the laboratory?*

   a) A dimensional anomaly
   b) A new chemical element
   c) A time machine

2. *What did the dimensional anomaly hint at?*

   a) The existence of parallel universes
   b) The end of the universe
   c) A hidden treasure

3. *What did the scientist use to transcend dimensional boundaries?*

   a) A magic spell
   b) A spacecraft
   c) A device harnessing the fabric of space

4. *What did the scientist's invention allow for?*

   a) Time travel
   b) Teleportation across dimensions
   c) Invisibility

5. *Where did the scientist find himself after using the portal?*

   a) A parallel universe
   b) The past
   c) The future

Correct Answers:

1. a) A dimensional anomaly
2. a) The existence of parallel universes
3. c) A device harnessing the fabric of space
4. b) Teleportation across dimensions
5. a) A parallel universe

- Chapter Thirty-Five -
THE CLOCKMAKER'S INVENTION

Shpikja e Oraçit

Në zemrën e një fshati të vogël dhe piktoresk, një oraç punonte pa pushim në punishten e tij, i njohur gjerësisht për saktësinë dhe inovacionin e tij. Projekti i tij i fundit do të ishte vepra më e rëndësishme, një orë me një mekanizëm më të ndërlikuar se çdo orë tjetër më parë. Kjo orë nuk do të tregonte vetëm kohën, por do ta bënte këtë me një saktësi të paparë. Dhëmbëzat, secili prej tyre i krijuar me një mjeshtëri të rreptë, ishin projektuar për të punuar në harmoni të përsosur, duke krijuar një simfoni të tik-takëve.

Pjesa qendrore e kësaj shpikjeje ishte një automaton, një mrekulli inxhinierike që do të kryente një valle të ndërlikuar me kalimin e çdo ore. Oraçi derdhi zemrën e tij në çdo detaj, nga lëvizja e qëndrueshme e pendulit te kalibrimi i mekanizmit të shpëtimit që mbante ritmin e orës.

Pas muajsh pune, ora ishte e përfunduar. Projekti për këtë mrekulli kishte bërë realitet, dhe kur oraçi e tërhoqi orën për herë të parë, fshati u mblodh për të dëshmuar zbulimin e saj. Ndërsa akrepat lëviznin dhe automaton-i hynte në jetë, turma u habit nga saktësia e orës dhe bukuria e lëvizjes së saj.

Kjo orë u bë një legjendë, një simbol i një epoke në mjeshtëri dhe inovacion. Kronografi i saj nuk ishte thjesht një mjet për matjen e kohës, por një dëshmi për aftësinë dhe përkushtimin e oraçit. Kjo shpikje ishte trashëgimia e tij, një copë e përjetshme që kaloi kohërat, duke magjepsur të gjithë ata që e panë me ndërlikimin dhe gjenin e krijuesit të saj.

Vocabulary

Precision	Saktësi
Mechanism	Mekanizëm
Innovation	Inovacion
Gears	Dhëmbëzat
Timepiece	Orë
Craftsmanship	Mjeshtëri
Automaton	Automaton
Intricate	I ndërlikuar
Pendulum	Pendul
Blueprint	Projekt
Wind (a clock)	Tërhoq
Calibration	Kalibrim
Epoch	Epokë
Chronograph	Kronograf
Escapement	Mekanizmi i shpëtimit

Questions About the Story

1. *What was the clockmaker known for in the village?*

   a) His storytelling
   b) His precision and innovation
   c) His gardening skills

2. *What was unique about the clockmaker's latest project?*

   a) It could fly
   b) It was made of gold
   c) It told time with unmatched accuracy

3. *What did the centerpiece of the clock do each hour?*

   a) Sang a song
   b) Performed an intricate dance
   c) Changed colors

4. *What was the reaction of the villagers when they saw the clock for the first time?*

   a) They were bored
   b) They gasped in amazement
   c) They left the village

5. *What symbolized the clockmaker's legacy?*

   a) A book
   b) A statue
   c) The timepiece

Correct Answers:

1. b) His precision and innovation
2. c) It told time with unmatched accuracy
3. b) Performed an intricate dance
4. b) They gasped in amazement
5. c) The timepiece

- Chapter Thirty-Six -
THE SECRET SOCIETY

Shoqëria Sekrete

Në shtresat e padukshme të qytetit, një shoqëri e fshehtë u mblodh. E mbuluar në sekret dhe e lidhur me një betim, anëtarët merrnin pjesë në rituale të njohura vetëm për ta. Ato natë, një ritual iniciimi u zhvillua, i shënuar nga hieroglifet e lashta dhe leximi solemn i një kodiku, një vëllim i diturisë arkane dhe enigmave të mbrojtura nga vëllazëria.

Ceremonia, e ngarkuar me simbolikë, testoi besnikërinë e iniciuarit përmes një shifre që zhbllokoi sekretet e shoqërisë, një traditë që gjurmonte mbrapa tek Iluminatët dhe masonëria. Figura të mbuluara, secila një mbrojtës i misterit, vëzhgonin në heshtje.

Me përfundimin e ritualit, iniciuari bëri një betim, duke vulosur besnikërinë e tij. Ndërsa mbledhja shpërndaheshin, lidhja e tyre—e krijuar në hije—mbeti, një dëshmi e trashëgimisë së përjetshme të shoqërisë së tyre esoterike.

Vocabulary

Clandestine	Sekret
Initiation	Iniciim
Ritual	Ritual
Hieroglyph	Hieroglif
Codex	Kodik
Enigma	Enigmë
Cipher	Shifrë
Allegiance	Besnikëri
Veiled	I mbuluar
Brotherhood	Vëllazëri
Illuminati	Iluminatët
Arcane	Arkane
Freemasonry	Masoneri
Symbology	Simbolikë
Oath	Betim

Questions About the Story

1. *What was the primary activity of the society mentioned in the story?*

    a) Public gatherings
    b) Ritualistic ceremonies
    c) Art exhibitions

2. *Which of the following elements marked the initiation ritual?*

    a) The lighting of candles
    b) A dance performance
    c) Ancient hieroglyphs

3. *What did the initiate have to decipher to prove their allegiance?*

    a) A riddle
    b) A cipher
    c) A map

4. *To which historical traditions were the society's practices compared?*

    a) Roman and Greek mythology
    b) Illuminati and freemasonry
    c) The Knights Templar and the Crusades

5. *What bound the members of the society?*

    a) A mutual interest in politics
    b) A shared background in academia
    c) An oath of loyalty

Correct Answers:

1. b) Ritualistic ceremonies
2. c) Ancient hieroglyphs
3. b) A cipher
4. b) Illuminati and freemasonry
5. c) An oath of loyalty

- Chapter Thirty-Seven -
THE CRYSTAL CAVERN

Shpella e Kristalit

Nën sipërfaqen e tokës, një aventurier zbuloi një shpellë të fshehtë kristali, hyrja e së cilës ishte pothuajse e pamjaftueshme për të kaluar. Brenda, shpella ishte një spektakël i bukurisë lumineshente. Stalaktitët dhe stalagmitët, si roje të lashtë, takoheshin në mes, duke formuar kolona kristaline që shkëlqenin me një shkëlqim tëthëllojshëm.

Ajri ishte i freskët dhe mbushur me tingullin e ujit që pikonte, çdo pikë duke u jehonuar në muret e shpellës. Në mes të formacioneve, një geodë e madhe u zbulua, kristalet e kuarcit të saj kapnin dritën e dobët, duke hedhur nuancat e ylberit nëpër shpellë. Aventurieri, i pajisur me njohuri të speleologjisë, u mahnit nga arkitektura natyrore, një mrekulli nëntokësore e krijuar nga vetë koha.

Duke u thelluar më tej, ai lundroi nëpër çarje të ngushta dhe peizazhe karstike, çdo hap duke zbuluar më shumë nga thesaret e fshehura të shpellës. Në një grotë të izoluar, një çarje në sipërfaqen e shkëmbit lëshonte një dritë të butë, tjetërbotërore, duke ndriçuar shpellën me një aureolë mistike.

Shpella e Kristalit, me bukurinë e saj natyrore dhe mrekullinë shkencore, ishte një kujtesë e mrekullive të fshehura të tokës, që presin të zbulohen nga ata të guximshëm që zhyten në të panjohurën.

Vocabulary

Stalactite	*Stalaktit*
Stalagmite	*Stalagmit*
Luminescent	*Lumineshent*
Geode	*Geodë*
Mineral	*Mineral*
Speleology	*Speleologji*
Glimmer	*Shkëlqim*
Crystalline	*Kristalin*
Formation	*Formacion*
Subterranean	*Nëntokësor*
Grotto	*Grotë*
Quartz	*Kuarc*
Chasm	*Çarje*
Karst	*Karst*
Fissure	*Çarje*

Questions About the Story

1. *What did the adventurer discover beneath the earth's surface?*

    a) A hidden city
    b) A crystal cavern
    c) An underground river

2. *What natural formations met in the middle to form crystalline columns?*

    a) Rivers and lakes
    b) Stalactites and stalagmites
    c) Rocks and minerals

3. *What kind of light did the quartz crystals in the large geode cast across the cavern?*

    a) A blinding white light
    b) Rainbow hues
    c) A dim blue glow

4. *Which science's knowledge did the adventurer possess that helped in marveling at the natural architecture?*

    a) Biology
    b) Chemistry
    c) Speleology

5. *What emitted a soft, otherworldly light in a secluded grotto?*

    a) A glowing animal
    b) A fissure in the rock face
    c) A hidden lantern

Correct Answers:

1. b) A crystal cavern
2. b) Stalactites and stalagmites
3. b) Rainbow hues
4. c) Speleology
5. b) A fissure in the rock face

- Chapter Thirty-Eight -
THE GUARDIAN OF THE FOREST

Roja e Pyllit

Në një pyll të gjelbër dhe të dendur, jetonte një roje e quajtur Aria. Ajo nuk ishte një roje e zakonshme; ajo ishte një roje pylli, e detyruar të mbrojë florën dhe faunën e shtëpisë së saj. Frinja mbi të ishte e dendur, duke lejuar vetëm pikla të vogla të dritës së diellit të preknin tokën. Aria ishte një druide e aftë, dhe fuqitë e saj ishin magjepsur nga kopshti i lashtë ku ajo jetonte.

Një ditë, Aria vuri re se pjesë të pyllit po fillonin të thaheshin. Ajo e dinte se duhej të vepronte për të siguruar ruajtjen e habitatit të saj. Ajo u fut më thellë në të egër, ku gjeti një nimfë mitike në vështirësi. Nimfa i tregoi Aria-s për një totem që kishte fuqinë të rivendoste pyllin, por tani ishte humbur.

E vendosur, Aria nisi një mision për të gjetur totemin. Përgjatë rrugës, ajo përballi sfida të ndryshme, por vendosmëria e saj nuk u tund. Pas ditësh kërkimi, Aria zbuloi totemin e fshehur nën një grumbull me gjethe në pjesën më të vjetër të pyllit.

Ajo solli totemin mbrapsht në kopsht dhe kreu një ritual të lashtë. Ngadalë, pylli filloi të shërohej. Pemët lulëzuan, kafshët u kthyen, dhe frinja ishte përsëri një tapet i gjelbër i gjallë. Aria kishte shpëtuar shtëpinë e saj.

Nga ajo ditë e tutje, Aria u nderua jo vetëm si një roje, por si një heroinë e pyllit. Ajo vazhdoi rojen e saj të vëmendshme, duke siguruar sigurinë dhe ruajtjen e të gjitha qenieve të gjalla brenda pyllit.

Vocabulary

Guardian	*Roje*
Sylvan	*Pyllor*
Sentinel	*Roje*
Flora	*Flora*
Fauna	*Fauna*
Canopy	*Frinë*
Druid	*Druid*
Enchanted	*Magjepsur*
Grove	*Kopsht*
Totem	*Totem*
Conservation	*Ruajtje*
Habitat	*Habitat*
Wilderness	*Egra*
Mythical	*Mitik*
Nymph	*Nimfë*

Questions About the Story

1. *Who is the guardian of the forest?*

    a) A mythical nymph
    b) A sylvan sentinel named Aria
    c) A lost totem

2. *What problem did Aria notice in the forest?*

    a) A wildfire
    b) Parts of the forest were beginning to wither
    c) An invasion of pests

3. *Who did Aria find in distress during her quest?*

    a) A polar bear
    b) A fellow druid
    c) A mythical nymph

4. *What did the mythical nymph tell Aria about?*

    a) A secret pathway
    b) A hidden treasure
    c) A totem with the power to restore the forest

5. *Where did Aria find the totem?*

    a) In a crystal cavern
    b) Beneath a pile of leaves in the oldest part of the forest
    c) At the top of the highest tree

Correct Answers:

1. b) A sylvan sentinel named Aria
2. b) Parts of the forest were beginning to wither
3. c) A mythical nymph
4. c) A totem with the power to restore the forest
5. b) Beneath a pile of leaves in the oldest part of the forest

- Chapter Thirty-Nine -
THE ANCIENT PACT

Pakti i Lashtë

Në një fshat të largët, pasardhësit e një fis të lashtë mblidheshin çdo vit për të nderuar një pakt të bërë me një perëndi shumë kohë më parë. Ky pakt, i rrënjosur në diturinë e trashëguar, përfshinte mbrojtjen e një relike të shenjtë, një amuletë që besohej se mbante fuqi të madhe. Betimi për të mbrojtur këtë trashëgimi ishte i thellë në kulturën e fisit, duke simbolizuar një lidhje mes të vdekshmes dhe të përjetshmes.

Çdo vit, një ritual zhvillohej për të thirrur bekimet e perëndisë, duke siguruar prosperitetin e fisit. Kjo ceremoni përfshinte paraqitjen e amuletës, rrethuar nga pleqtë e fisit që thirrnin lutje. Profecia parashikonte se sa kohë që amuleta mbetej në fshat, njerëzit do të ishin të mbrojtur nga çdo mallkim dhe do të gëzonin favorin e perëndisë, duke u dhënë atyre një ekzistencë pothuajse të pavdekshme.

Megjithatë, prova e vërtetë e këtij pakti erdhi kur të huajt kërcënuan të merrnin amuletën për vete. Fisi, i bashkuar nga detyra e tyre e shenjtë, qëndroi i fortë kundër ndërhyrjes, duke treguar angazhimin e tyre të patundur ndaj betimit të lashtë. Suksesi i tyre në mbrojtjen e amuletës konfirmoi forcën e paktit të lashtë, duke siguruar trashëgiminë e tyre për brezat e ardhshëm.

Vocabulary

Pact	*Pakt*
Covenant	*Besëlidhje*
Ancestral	*Trashëgimtar*
Relic	*Relikë*
Vow	*Betim*
Sacred	*I shenjtë*
Amulet	*Amuletë*
Legacy	*Trashëgimi*
Prophecy	*Profeci*
Ritual	*Ritual*
Summon	*Thërras*
Deity	*Perëndi*
Tribal	*Fisnor*
Curse	*Mallkim*
Immortal	*I pavdekshëm*

Questions About the Story

1. *What is the main reason the tribe gathers annually in the remote village?*

    a) To celebrate a harvest festival
    b) To honor a pact made with a deity
    c) To elect new tribal leaders

2. *What is the sacred relic mentioned in the story?*

    a) A golden crown
    b) An ancient sword
    c) An amulet

3. *What does the ritual involve?*

    a) A dance around a fire
    b) The presentation of the amulet surrounded by chanting
    c) A feast with exotic foods

4. *What is promised by the prophecy related to the amulet?*

    a) Eternal wealth
    b) Victory in battle
    c) Protection from curses and the deity's favor

5. *How did the tribe react to the threat of outsiders wanting the amulet?*

    a) They fled the village
    b) They negotiated peace
    c) They stood firm and protected the amulet

Correct Answers:

1. b) To honor a pact made with a deity
2. c) An amulet
3. b) The presentation of the amulet surrounded by chanting
4. c) Protection from curses and the deity's favor
5. c) They stood firm and protected the amulet

- Chapter Forty -
THE TOWER OF DREAMS

Kulla e Ëndrrave

Eli, një vizionar i ri, ëndërronte të arrinte majën e Kullës së Ëndrrave, një vend ku aspiratat bëhen realitet. Kulla, e mbuluar në mjegull tëthelbët, qëndronte në skajin e një mbretërie fantastike, me majën e saj të humbur nëpër reve. Ngjitja në të ishte si të lundroje nëpër një labirint iluzionesh dhe mirazhesh, duke sfiduar ambicien dhe vendosmërinë e njërit.

I armatosur me ambicie të palëkundur, Eli nisi udhëtimin e tij. Rruga ishte si në ëndërr, e mbushur me vizionet që shuan kufirin ndërmjet realitetit dhe fantazisë. Në çdo nivel, një portal ofronte shikime në mbretëri të ndryshme, duke e tërhequr Elin me premtimin e realizimit të dëshirave të tij më të thella.

Parapeti i kullës, pak para majës, paraqiti sfidën përfundimtare: të dallonte midis iluzionit dhe aspiratës së vërtetë. Eli, i udhëhequr nga vizioni i tij i brendshëm, pa përtej mirazhit, duke kuptuar se ambicia e vërtetë kërkonte sakrificë dhe vendosmëri.

Duke arritur në majë, Eli gjeti jo vetëm përmbushjen e ëndrrave të tij, por edhe një perspektivë të re. Kulla nuk ishte vetëm një sfidë fizike, por një udhëtim i vetë-zbulimit, duke i mësuar atij se ndjekja e ëndrrave të njërit ishte një ngjitje eteriale përtej thjesht ambicies.

Vocabulary

Tower	*Kullë*
Aspiration	*Aspiratë*
Labyrinth	*Labirint*
Mirage	*Mirazh*
Summit	*Majë*
Visionary	*Vizionar*
Ascend	*Ngjitem*
Illusion	*Iluzion*
Parapet	*Parapet*
Dreamlike	*Si në ëndërr*
Ambition	*Ambicie*
Ethereal	*Eterial*
Portal	*Portal*
Fantastical	*Fantastik*
Realm	*Mbretëri*

Questions About the Story

1. *What is the main goal of Eli in the story?*

    a) To find a lost treasure
    b) To reach the summit of the Tower of Dreams
    c) To escape from a fantastical realm

2. *What does the Tower of Dreams symbolize?*

    a) The power of nature
    b) A test of physical strength
    c) The journey of self-discovery and the realization of one's
       ambitions

3. *What challenges does Eli face in the Tower of Dreams?*

    a) Labyrinths of illusion and mirage
    b) Fierce monsters
    c) Harsh weather conditions

4. *How does Eli's path to the tower's summit best described?*

    a) Straightforward and uneventful
    b) Dreamlike, blurring reality and fantasy
    c) Filled with physical obstacles and barriers

5. *What was the final challenge before the summit?*

    a) A battle with a guardian
    b) A complex puzzle
    c) To distinguish between illusion and true aspiration

Correct Answers:

1. b) To reach the summit of the Tower of Dreams
2. c) The journey of self-discovery and the realization of one's ambitions
3. a) Labyrinths of illusion and mirage
4. b) Dreamlike, blurring reality and fantasy
5. c) To distinguish between illusion and true aspiration

- Chapter Forty-One -
THE WITCH'S HAVEN

Streha e Shtrigës

Në një pyll të izoluar, ekzistonte një strehë e njohur vetëm nga të paktët. Këtu, një shtrigë me emrin Elara krijonte potionet dhe magjitë e saj me një aftësi të pakrahasueshme. Kazani i saj vluante me përzierje arkane, dhe grimori i saj ishte hapur, i mbushur me magji të lashta. Elara po përgatitej për mbledhjen e kovës, ku shtrigat ndanin njohuritë dhe magjinë e tyre.

Ndër talentet e shumta, Elara ishte e njohur për parashikimin dhe aftësinë për të thirrur shpirtra ndihmës, shpirtra që e ndihmonin në përpjekjet e saj magjike. Këtë natë, ajo ishte përqendruar në një ritual të ndërlikuar, duke thirrur një magji të fuqishme mbrojtëse. Pranë saj, një talisman ndriçonte, energjia e tij duke u harmonizuar me magjinë.

Ndërsa hëna ngrihej, kova u mblodh, çdo anëtar duke sjellë sendet e tyre të magjishme. Ata bashkuan fuqitë e tyre, duke krijuar një thirrje që do të forconte strehën e tyre. Përmes alkimisë kolektive, streha u mbrojt nga bota e jashtme, duke siguruar që sekretet e tyre të mbeteshin të sigurta. Streha e shtrigave mbeti e paprekur, një dëshmi e bashkimit të tyre dhe zotësisë mbi të mistershmen.

Vocabulary

Haven	*Strehë*
Cauldron	*Kazan*
Spell	*Magji*
Enchant	*Magjeps*
Coven	*Kovë*
Grimoire	*Grimor*
Potion	*Potion*
Hex	*Magji*
Talisman	*Talisman*
Clairvoyance	*Parashikim*
Ritual	*Ritual*
Arcane	*Arkan*
Familiar (spirit)	*Shpirt ndihmës*
Conjuration	*Thirrje*
Alchemy	*Alkim*

Questions About the Story

1. *What is Elara's role in the secluded forest?*

   a) Guardian of the forest
   b) A witch crafting potions and spells
   c) A traveler passing through

2. *What is Elara preparing for in the story?*

   a) A battle against invaders
   b) A festive celebration
   c) The coven's gathering

3. *Which of the following skills is Elara renowned for?*

   a) Swordsmanship
   b) Clairvoyance and conjuring familiars
   c) Archery

4. *What does Elara focus on the night of the gathering?*

   a) Writing a new grimoire
   b) Creating a potion of invisibility
   c) Invoking a powerful hex for protection

5. *What item glows beside Elara as she performs her spellwork?*

   a) A crystal ball
   b) A witch's broom
   c) A talisman

Correct Answers:

1. b) A witch crafting potions and spells
2. c) The coven's gathering
3. b) Clairvoyance and conjuring familiars
4. c) Invoking a powerful hex for protection
5. c) A talisman

- Chapter Forty-Two -
THE VOYAGE TO THE UNKNOWN

Udhëtimi Drejt të Panjohurës

Kapiteni Aria dhe ekuipazhi i saj nisën një udhëtim drejt territoreve të pashkelura. Si një navigatore e aftë, Aria përdori një astrolab dhe kompas për të udhëhequr galeonën nëpër botën detare. Ekspedita kishte për qëllim të zbulonte vende të reja, duke përballuar odisenë me guxim dhe vendosmëri.

Horizonti premtoi aventurë, dhe çdo lindje e diellit i afronte më shumë me terrat e panjohura. Detarët ndanin tregime të udhëtimeve të kaluara, frymëzuar nga premtimi i odisesë. Aria konsultoi pergamenat e vjetra të kartografisë, duke planifikuar një kurs përgjatë meridianit që do t'i çonte drejt zbulimit.

Ndërsa lundronin nëpër mbretëritë detare, ekuipazhi u mahnit nga misteret e oqeanit. Udhëtimi i tyre detar ishte më shumë se një ekspeditë; ishte një odisë e shpirtit njerëzor, në kërkim të dijes dhe kuptimit përtej të njohurës.

Vocabulary

Voyage	*Udhëtim*
Uncharted	*I pashkelur*
Navigator	*Navigator*
Expedition	*Ekspeditë*
Horizon	*Horizont*
Odyssey	*Odisë*
Terra incognita	*Terra incognita*
Astrolabe	*Astrolab*
Seafarer	*Detar*
Galley	*Galeonë*
Meridian	*Meridian*
Cartography	*Kartografi*
Maritime	*Detar*
Nautical	*Detar*
Compass	*Kompas*

Questions About the Story

1. *What is Captain Aria's main goal in the story?*

    a) To find a hidden treasure
    b) To compete in a sailing race
    c) To discover new lands

2. *Which tools does Captain Aria use to navigate?*

    a) A telescope and a map
    b) An astrolabe and compass
    c) GPS and sonar

3. *What does the horizon symbolize in the story?*

    a) The end of the world
    b) The promise of adventure
    c) The boundary between sea and sky

4. *How do the crew members feel about their voyage?*

    a) Terrified and anxious
    b) Indifferent and bored
    c) Excited and hopeful

5. *What does Captain Aria consult to navigate?*

    a) The position of the sun
    b) The flight patterns of birds
    c) Ancient cartography scrolls

Correct Answers:

1. c) To discover new lands
2. b) An astrolabe and compass
3. b) The promise of adventure
4. c) Excited and hopeful
5. c) Ancient cartography scrolls

- Chapter Forty-Three -
THE STARLIGHT EXPEDITION

Ekspedita Starlight

Një ekip astronomësh nisi një ekspeditë në kozmos, me qëllim të zbulimit të sekreteve astronomike. Udhëtimi i tyre i çoi përtej sistemit diellor, ku ata u mahnitën nga bukuria e mjegullave dhe trupave qiellorë. Anija e tyre observatore u lejoi të studionin konstelacionet dhe mjedisin ndëryjor me një detajshmëri të paparë.

Një natë, ata zbuluan një kuazar, një far beacon në boshllëkun galaktik, që sinjalizonte një zonë të aktivitetit intensiv. Ndërsa iu afruan, ata dëshmuan shpërthimin spektakolar të një supernove, një yll që përfundonte ciklin e tij jetësor në një shfaqje brilante drite. Aty pranë, një vrimë e zezë lundronte, graviteti i saj tërhiqte gjithçka rreth saj.

Udhëtimi i tyre nëpër univers vazhdoi, i shënuar nga shikimet e kometave dhe një eklips i rrallë diellor i vëzhguar nga hapësira. Ekspedita Starlight zgjeroi kuptimin e njerëzimit për kozmosin, duke zbuluar bukurinë e ndërlikuar dhe proceset dinamike të lagjes sonë galaktike.

Vocabulary

Expedition	*Ekspeditë*
Cosmos	*Kozmos*
Astronomical	*Astronomik*
Nebula	*Mjegull*
Celestial	*Qiellor*
Observatory	*Observator*
Constellation	*Konstelacion*
Interstellar	*Ndëryjor*
Quasar	*Kuazar*
Galactic	*Galaktik*
Supernova	*Supernovë*
Black hole	*Vrimë e zezë*
Universe	*Univers*
Comet	*Kometë*
Eclipse	*Eklips*

Questions About the Story

1. *What was the primary goal of the Starlight Expedition?*

   a) To find a new planet for colonization
   b) To uncover astronomical secrets
   c) To escape the solar system

2. *What celestial phenomenon signaled an area of intense activity to the astronomers?*

   a) A pulsar
   b) A quasar
   c) A galaxy

3. *What did the astronomers witness that marked the end of a star's life cycle?*

   a) A black hole consuming a star
   b) A supernova explosion
   c) The formation of a nebula

4. *What was a significant challenge near the observed supernova?*

   a) An asteroid belt
   b) A black hole
   c) A magnetic storm

5. *What tools did the astronomers use to study the cosmos in unprecedented detail?*

   a) Radio telescopes on Earth
   b) Satellites orbiting Earth
   c) An observatory ship

Correct Answers:

1. b) To uncover astronomical secrets
2. b) A quasar
3. b) A supernova explosion
4. b) A black hole
5. c) An observatory ship

- Chapter Forty-Four -
THE SECRET OF THE SUNKEN SHIP

Sekreti i Anijes së Fundosur

Zhytësit nisën një aventurë detare për të zbuluar sekretin e një anije të fundosur, e cila besohej të mbante një thesar të madh. Ekspedita i çoi ata në humnerë, ku përdorën një këmbanë zhytjeje për të arritur në fund të oqeanit. Mes rafteve të koraleve, ata gjetën anijen e fundosur, dizajni i saj detar i linte të kuptohej se oqeanografia ishte në fillimet e saj.

Duke përdorur një nëndetëse, ata eksploruan rrënojat, duke zbuluar artifakte që tregonin histori të udhëtimeve të kaluara. Anija, dikur një galeon madhështor, ishte bërë viktimë e detit, por tani premtoi pasuri në shpëtim. Ndërsa lundronin nëpër mbetjet, zhytësit ndiheshin si korsarë, duke kërkuar për thesarin e fshehur nën valë.

Zbulimi nuk ishte vetëm për thesarin; ishte një dritare në historinë detare dhe sfidat e navigimit në ujëra të pashkelura. Sekreti i Anijes së Fundosur zbuloi joshjen e përjetshme të detit të thellë dhe misteret që ai mban.

Vocabulary

Sunken	*E fundosur*
Shipwreck	*Anije e fundosur*
Treasure	*Thesar*
Maritime	*Detar*
Salvage	*Shpëtim*
Abyss	*Humnerë*
Diving bell	*Këmbanë zhytjeje*
Artifact	*Artifakt*
Nautical	*Detar*
Oceanography	*Oqeanografi*
Submersible	*Nëndetëse*
Coral reef	*Rafte koralesh*
Navigation	*Navigim*
Buccaneer	*Korsar*
Galleon	*Galeon*

Questions About the Story

1. *What was the divers' main goal in their maritime adventure?*

   a) To photograph the coral reef
   b) To study marine life
   c) To uncover the secret of a sunken ship

2. *How did the divers reach the ocean floor to find the shipwreck?*

   a) Using a submarine
   b) Free diving
   c) Using a diving bell

3. *What did the design of the sunken ship indicate about its era?*

   a) It was from the modern era
   b) It was from a time when oceanography was in its infancy
   c) It was a medieval vessel

4. *What did the divers use to explore the shipwreck?*

   a) A remotely operated vehicle (ROV)
   b) A submersible
   c) A glass-bottom boat

5. *What did the discovery of the shipwreck promise aside from historical insight?*

   a) New species of fish
   b) Wealth in salvage
   c) A new underwater habitat

Correct Answers:

1. c) To uncover the secret of a sunken ship
2. c) Using a diving bell
3. b) It was from a time when oceanography was in its infancy
4. b) A submersible
5. b) Wealth in salvage

- Chapter Forty-Five -
THE CURSE OF THE BLACK PEARL

Mallkimi i Perlës së Zezë

Në kohën e aventurave të mëdha detare, u shfaq një tregim për Perlën e Zezë, një perlë e mallkuar me fuqinë për të dënuar mbajtësin e saj me një jetë fatkeqësie dhe dëshpërimi. Mallkimi u bë obsesioni i shumë korsarëve, të cilët u tërhoqën në një vërteks lakmie dhe tradhtie.

Kapiteni Lucas, një shpatar i përvojësuar, zbuloi një hartë thesari që tregonte vendndodhjen e perlës, e fshehur thellë në rrënojat e galeonit spanjoll, El Dorado. Me ekuipazhin e tij të korsarëve në bord të brigantinës Phantom of the Sea, Lucas ngriti lundrimin, i vendosur të hiqte mallkimin dhe të pretendonte bukurinë legjendare të perlës.

Udhëtimi ishte i mbushur me rreziqe. Një kryengritje po ziente ndërsa tregimet për mallkimin e perlës mbushnin ekuipazhin me frikë. Të marrosur në një ishull për sfidimin e Lucasit, kryengritësit u gjetën në mëshirën e elementëve, me vetëm flamurin Jolly Roger si shoqërues.

Në fund, mes zjarrit të topave dhe një plaçkitjeje të guximshme, Lucas kapërceu Perlën e Zezë. Megjithatë, në vend të fuqisë, ai gjeti zgjidhje. Ai kuptoi se mallkimi nuk ishte në perlë, por në zemrat e atyre që e kërkonin atë për lakmi.

Lucas hodhi perlën përsëri në det, duke thyer ciklin e lakmisë. Që nga ajo ditë, ai lundroi nën flamurin e parley, duke avokuar për bashkimin midis korsarëve të deteve. Mallkimi i Perlës së Zezë u bë një legjendë, një kujtesë e hollësirës midis fatit dhe marrëzisë.

Vocabulary

Curse	*Mallkim*
Pearl	*Perlë*
Buccaneer	*Korsar*
Plunder	*Plaçkitje*
Galleon	*Galeon*
Mutiny	*Kryengritje*
Swashbuckler	*Shpatar*
Marooned	*I marrosur*
Cannon	*Top*
Parley	*Parley*
Corsair	*Korsar*
Treasure map	*Hartë thesari*
Jolly Roger	*Jolly Roger*
Brigantine	*Brigantinë*
Booty	*Thesar*

Questions About the Story

1. *What cursed object is central to the story?*

   a) A golden compass
   b) A cursed black pearl
   c) An enchanted sword

2. *Who is the captain leading the expedition to find the Black Pearl?*

   a) Captain Morgan
   b) Captain Blackbeard
   c) Captain Lucas

3. *What ship does Captain Lucas command?*

   a) The Black Pearl
   b) The Jolly Roger
   c) The Sea Phantom

4. *Where is the Black Pearl said to be located?*

   a) In a hidden cave on Tortuga
   b) Deep within the wreckage of the Spanish galleon, El Dorado
   c) Buried on a deserted island

5. *What challenge does Captain Lucas face from his crew?*

   a) A deadly plague
   b) A navigation error
   c) Mutiny

Correct Answers:

1. b) A cursed black pearl
2. c) Captain Lucas
3. c) The Sea Phantom
4. b) Deep within the wreckage of the Spanish galleon, El Dorado
5. c) Mutiny

- Chapter Forty-Six -
THE SORCERER'S APPRENTICE

Nxënësi i Magjistarit

Në një dhomë të fshehur, një nxënës studioi nën udhëheqjen e një magjistari të fuqishëm. Dhoma ishte e mbushur me aromën e barërave ekzotike dhe dritën e grimorëve të magjepsur. Magjistari, duke përdorur një shkop nga druri i lashtë, demonstroi artin e magjisë, duke transformuar thelbin e manës në shfaqje spektakolare të fuqisë arkane.

Nxënësi, i etur për të mësuar magjinë, praktikoi thirrjet dhe alkiminë, i udhëzuar nga një libër magjish që kishte lënë magjistari. Një ditë, duke përpiqur një transmutim të komplikuar, nxënësi pa dashje hapi një portal në një mbretëri me energji të papërshkruar. I trembur, nxënësi kërkoi ndihmën e shpirtit mbrojtës, një gardian i lidhur me magjistarin, për të mbyllur portalin dhe për të rikthyer balancën.

Nëpërmjet kësaj prove, nxënësi mësoi rëndësinë e kontrollit dhe mençurisë në përdorimin e magjisë, duke shënuar një hap të rëndësishëm drejt bërjes magjistar në të drejtën e tij.

Vocabulary

Sorcerer	*Magjistar*
Apprentice	*Nxënës*
Enchantment	*Magji*
Grimoire	*Grimor*
Mana	*Mana*
Incantation	*Thirrje*
Arcane	*Arkan*
Familiar	*Shpirt mbrojtës*
Alchemy	*Alkim*
Wand	*Shkop*
Spellbook	*Libër magjish*
Elixir	*Eliksir*
Transmutation	*Transmutim*
Conjuring	*Magji*
Portal	*Portal*

Questions About the Story

1. *Where did the apprentice study magic?*

    a) In a grand castle
    b) In a hidden chamber
    c) In a public school of magic

2. *What did the sorcerer use to demonstrate magical conjuring?*

    a) A crystal ball
    b) A wand of ancient wood
    c) A silver chalice

3. *What was the apprentice eager to master?*

    a) Swordsmanship
    b) The art of stealth
    c) Enchantment

4. *What mistake did the apprentice make?*

    a) Broke the wand
    b) Lost the spellbook
    c) Opened a portal to another realm

5. *Who did the apprentice seek help from to close the portal?*

    a) The sorcerer
    b) A passing knight
    c) The familiar, a spirit guardian

Correct Answers:

1. b) In a hidden chamber
2. b) A wand of ancient wood
3. c) Enchantment
4. c) Opened a portal to another realm
5. c) The familiar, a spirit guardian

- Chapter Forty-Seven -
THE MAZE OF SHADOWS

Labirinti i Hijeshive

Një aventurier i guximshëm hyri në Labirintin e Hijeshive, një labirint i mbushur me iluzione dhe enigma kriptike. Çdo kthesë zbuloi një korridor të përdredhur, të mbuluar në mjegulla eterike dhe të jehonë me pëshpërimat e së kaluarës. Qëllimi ishte të gjeje qendrën, ku një Minotaur legjendar ruante një fantazmë të madhe fuqie.

I udhëzuar nga parashikimi, aventurieri navigoi nëpër labirint, duke dekoduar simbolet kriptike dhe duke shmangur kurthe që luajtën me ndjenjat. Hijet u transformuan në figura të frikshme, dhe mirazhet e daljeve të rreme i provokuan udhëtarin e lodhur. Megjithatë, vendosmëria e aventurierit ndriçoi rrugën përmes të panjohurës dhe të errët.

Në fund, duke arritur në zemër të labirintit, aventurieri u përball me Minotaurin. Duke kuptuar se bisha ishte vetëm një iluzion që ruante thesarin e vërtetë, një kalim drejt mençurisë dhe zgjimit, aventurieri doli fitimtar, i ndritur nga udhëtimi nëpër Labirintin e Hijeshive.

Vocabulary

Maze	*Labirint*
Shadows	*Hijet*
Labyrinth	*Labirint*
Illusion	*Iluzion*
Minotaur	*Minotaur*
Echo	*Jechoj*
Twisting	*I përdredhur*
Enigma	*Enigmë*
Phantasm	*Fantazmë*
Cryptic	*Kriptik*
Passage	*Kalim*
Clairvoyance	*Parashikim*
Obscure	*I errët*
Ethereal	*Eterik*
Mirage	*Mirazh*

Questions About the Story

1. *What is the main goal of the adventurer in the Maze of Shadows?*

   a) To escape the maze
   b) To find a legendary Minotaur
   c) To locate the center of the maze

2. *What guarded the phantasm of great power in the maze?*

   a) A dragon
   b) A sorcerer
   c) A legendary Minotaur

3. *How did the adventurer navigate through the maze?*

   a) By following a map
   b) Guided by clairvoyance
   c) Following the north star

4. *What did the adventurer use to decipher the path through the maze?*

   a) Magic spells
   b) A key
   c) Cryptic symbols

5. *What was the true nature of the Minotaur according to the story?*

   a) A guardian of treasure
   b) A cursed prince
   c) An illusion

Correct Answers:

1. c) To locate the center of the maze
2. c) A legendary Minotaur
3. b) Guided by clairvoyance
4. c) Cryptic symbols
5. c) An illusion

- Chapter Forty-Eight -
THE ETERNAL CITY

Qyteti i Përjetshëm

Njëherë një metropol i lulëzuar, Qyteti i Përjetshëm tani shtrihej në rrënoja, duke pëshpëritur tregime të një qytetërimi të humbur. Arkeologët u nisën nëpër rrugët e tij, të mahnitur nga akuaduktet dhe Koloseumi, ku spektaklet dikur kishin magjepsur audiencat. Panteoni, me perënditë e tij të lashta, qëndronte si dëshmi e thellësisë shpirtërore të qytetit.

Ndërsa eksploronin, arkeologët zbuluan freske që përshkruanin historinë e perandorisë, nga dinastia themeluese deri në kulmin e saj. Forumi, dikur një qendër e zënë e debatit dhe vendimmarrjes, jehonte me heshtjen e kohës. Çdo gjetje ishte një copë e enigmës, duke zbuluar madhështinë dhe rënien e Qytetit të Përjetshëm.

Kjo kështjellë e dijes dhe fuqisë, me arkitekturën e saj monumentale, ofronte një vështrim në të kaluarën, duke i kujtuar botës moderne përkohshmërinë e perandorive dhe trashëgiminë e përjetshme të qytetërimit.

Vocabulary

Eternal	I përjetshëm
Metropolis	Metropol
Ruins	Rrënoja
Civilization	Qytetërim
Aqueduct	Akuadukt
Coliseum	Koloseum
Pantheon	Panteon
Citadel	Kështjellë
Archeology	Arkeologji
Fresco	Freskë
Empire	Perandori
Forum	Forum
Dynasty	Dinasti
Vestige	Gjurmë
Monument	Monument

Questions About the Story

1. *What primarily characterizes the Eternal City?*

    a) Its bustling marketplaces
    b) Its state of ruins
    c) Its modern skyscrapers

2. *What ancient structure in the Eternal City captivated audiences with spectacles?*

    a) The Pantheon
    b) The Library
    c) The Coliseum

3. *Which structure stood as a testament to the city's spiritual depth?*

    a) The Forum
    b) The Coliseum
    c) The Pantheon

4. *What did the archeologists uncover that depicted the empire's history?*

    a) Statues
    b) Jewelry
    c) Frescoes

5. *What was the forum used for in the Eternal City?*

    a) Gladiatorial combats
    b) Public bathing
    c) Debate and decision-making

Correct Answers:

1. b) Its state of ruins
2. c) The Coliseum
3. c) The Pantheon
4. c) Frescoes
5. c) Debate and decision-making

- Chapter Forty-Nine -
THE LIBRARY OF LOST BOOKS

Biblioteka e Librave të Humbur

T hellë në zemrën e një qyteti të harruar ndodhet Biblioteka e Librave të Humbur, një arkiv që ruan dorëshkrime dhe toma të diturisë së lashtë. Kodiku i bibliotekës, i ndriçuar nga drita e butë e agimit, zbuloi tekste në pergamenë që kishin mbijetuar shekuj. Një kurator i përkushtuar katalogonte çdo artikull, duke trajtuar me kujdes palimpsestet dhe foliot, duke siguruar konservimin e tyre për brezat e ardhshëm.

Bibliofilë nga vende të largëta kërkonin këtë depo, duke ëndërruar për gjetje të rralla. Ata do të shënonin në anët e zbulimeve të tyre, duke shtuar në njohuritë e kolektive të ruajtura brenda këtyre mureve. Ndërmjet raftëve, heshtja fliste për respektin e mbajtur për fjalën e shkruar, një dëshmi e kërkimit për kuptim.

Vocabulary

Archive	Arkiv
Manuscript	Dorëshkrim
Tome	Tom
Codex	Kodik
Illuminated	I ndriçuar
Parchment	Pergamenë
Catalogue	Katalog
Curator	Kurator
Palimpsest	Palimpsest
Bibliophile	Bibliofil
Repository	Depo
Rare	I rrallë
Conservation	Konservim
Annotate	Shënoj
Folio	Folio

Questions About the Story

1. *Where is the Library of Lost Books located?*

   a) In a bustling metropolis
   b) On a remote island
   c) In the heart of a forgotten city

2. *What does the library primarily house?*

   a) Modern digital media
   b) Manuscripts and tomes of ancient wisdom
   c) Contemporary novels

3. *What role does the curator play in the library?*

   a) Guards the entrance
   b) Catalogues each item with care
   c) Sells rare books to the highest bidder

4. *Who seeks out the Library of Lost Books?*

   a) Tourists looking for attractions
   b) Children on school trips
   c) Bibliophiles from distant lands

5. *What do visitors do with their discoveries in the library?*

   a) Take them home as souvenirs
   b) Annotate the margins
   c) Sell them to collectors

Correct Answers:

1. c) In the heart of a forgotten city
2. b) Manuscripts and tomes of ancient wisdom
3. b) Catalogues each item with care
4. c) Bibliophiles from distant lands
5. b) Annotate the margins

- Chapter Fifty -
THE SPELLBOUND FOREST

Pylli i Magjepsur

Në një vend të largët, ekzistonte një kopsht i magjepsur i njohur si Pylli i Magjepsur. Krijesa mitike lundronin lirshëm, dhe zanat kërcenin në livadhe magjike nën dritën e hënës. Një druid i fuqishëm, mbrojtës i pyllit, përdorte thirrje dhe magji për të ruajtur qetësinë e këtij vendi magjik.

Në zemër të pyllit qëndronte një totem, simbol i magjisë së pyllit. Thuhet se një amuletë, e fshehur në kopsht, mbante çelësin për të kuptuar diturinë e lashtë të vendit. Rojet, në formën e krijesave madhështore, ruajnë këtë sekret, duke siguruar që vetëm të denjët të zbulojnë të vërtetat e mbajtura brenda.

Vocabulary

Enchanted	*I magjepsur*
Grove	*Kopsht*
Mythical	*Mitik*
Faerie	*Zanë*
Incantation	*Thirrje*
Mystical	*Mistik*
Glade	*Livadh*
Sorcery	*Magji*
Druid	*Druid*
Totem	*Totem*
Bewitch	*Magjeps*
Amulet	*Amuletë*
Tranquil	*Qetësues*
Lore	*Dituria*
Sentinel	*Roje*

Questions About the Story

1. *What is the Spellbound Forest known for?*

    a) Its dangerous creatures
    b) Its magical tranquility
    c) Its vast deserts

2. *Who is the protector of the Spellbound Forest?*

    a) A king
    b) A knight
    c) A powerful druid

3. *What do faeries do in the Spellbound Forest?*

    a) Steal from visitors
    b) Guard the entrance
    c) Dance in mystical glades under the moonlight

4. *What symbolizes the forest's enchantment?*

    a) A crown
    b) A sword
    c) A totem

5. *What is said to hold the key to understanding the ancient lore of the land?*

    a) A book
    b) An amulet
    c) A scroll

Correct Answers:

1. b) Its magical tranquility
2. c) A powerful druid
3. c) Dance in mystical glades under the moonlight
4. c) A totem
5. b) An amulet

- Chapter Fifty-One -
THE NIGHT OF THE ECLIPSE

Nata e Eklipsit

Nata e Eklipsit ishte një ngjarje qiellore që tërhoqi vëzhguesit në observator, sytë ngulur në teleskopë. Fenomeni astronomik u zhvillua ndërsa umbra dhe penumbra e Tokës u rreshtuan, duke hedhur hije mbi hënën. Ky rreshtim, një ngjarje e rrallë, u vëzhgua me pritje, ndërsa orbitat e trupave qiellore u bashkuan në harmoni të përsosur.

Luminanci i hënës u zbeh, duke zbuluar koronën e diellit, një pamje që la spektatorët në habi. Të dyja, eklipset diellore dhe hënore ofruan një mundësi unike për të dëshmuar bukurinë dhe saktësinë e universit. Konstelacionet shkëlqyen në qiellin e errët, duke kornizuar eklipsin, një kujtesë për gjithësinë dhe misterin e kozmosit.

Vocabulary

Eclipse	*Eklips*
Celestial	*Qiellor*
Phenomenon	*Fenomen*
Observatory	*Observator*
Astronomical	*Astronomik*
Umbra	*Umbra*
Penumbra	*Penumbra*
Alignment	*Rreshtim*
Orbit	*Orbitë*
Telescope	*Teleskop*
Luminosity	*Luminanci*
Corona	*Korona*
Solar	*Diellor*
Lunar	*Hënor*
Constellation	*Konstelacion*

Questions About the Story

1. *What type of event is the Night of the Eclipse?*

    a) A meteor shower
    b) A celestial event
    c) A planetary alignment

2. *What phenomena align during the eclipse?*

    a) The sun and the moon
    b) Mars and Earth
    c) The umbra and penumbra of the Earth

3. *What happens to the moon's luminosity during the eclipse?*

    a) It brightens significantly
    b) It remains unchanged
    c) It dims, revealing the sun's corona

4. *What do both solar and lunar eclipses provide?*

    a) A chance to see the northern lights
    b) An opportunity to witness the beauty and precision of the universe
    c) A time for making wishes

5. *Where did observers gather to view the eclipse?*

    a) On mountaintops
    b) At the beach
    c) In the observatory

Correct Answers:

1. b) A celestial event
2. c) The umbra and penumbra of the Earth
3. c) It dims, revealing the sun's corona
4. b) An opportunity to witness the beauty and precision of the universe
5. c) In the observatory

- Chapter Fifty-Two -
THE FESTIVAL OF LIGHTS

Festivali i Dritave

Në një qytet të gjallë, Festivali i Dritave, Diwali, festohej me entuziazëm të madh. Llambat varëshin në çdo cep, duke hedhur një dritë të ngrohtë që ndriçonte natën. Familjet mblidheshin për të ndezur qirinj, duke shkrepur fishekzjarre që pikturonin qiellin me një mori ngjyrash. Kjo traditë, e rrënjosur në trashëgiminë kulturore, simbolizonte fitoren e dritës mbi errësirën.

Festa ishte një dëshmi e harmonisë dhe unitetit në komunitet. Ritualet u kryen, lutjet u ofruan, dhe shtëpitë u dekoruan për të mirëpritur prosperitetin. Festiviteti bashkoi njerëz nga të gjitha shtresat e jetës, duke forcuar lidhjet dhe trashëgiminë e përbashkët.

Ndërsa nata përparonte, ajri mbushej me gëzim dhe të qeshura, duke pasqyruar shpirtin e Diwalit. Festivali i Dritave nuk ishte thjesht një festim, por një reflektim i angazhimit të komunitetit për të ruajtur traditat e tyre dhe për të festuar identitetin e tyre kulturor.

Vocabulary

Diwali	*Diwali*
Lantern	*Llambë*
Illumination	*Ndriçim*
Firework	*Fishekzjarre*
Tradition	*Traditë*
Candle	*Qiri*
Celebration	*Festim*
Cultural	*Kulturor*
Harmony	*Harmoni*
Ritual	*Ritual*
Unity	*Unitet*
Prosperity	*Prosperitet*
Heritage	*Trashëgimi*
Festivity	*Festivitet*
Decorate	*Dekoroj*

Questions About the Story

1. *What does the Festival of Lights, Diwali, symbolize?*

   a) The beginning of winter
   b) The victory of light over darkness
   c) The harvest season

2. *What activity is common during the Festival of Lights?*

   a) Planting trees
   b) Lighting candles and setting off fireworks
   c) Snowball fights

3. *How does the community contribute to the festival's atmosphere?*

   a) By remaining indoors
   b) Through silence and meditation
   c) By gathering in harmony and unity

4. *What decorations are commonly seen during Diwali?*

   a) Snow sculptures
   b) Lanterns
   c) Balloons

5. *What is a result of the Festival of Lights on the community?*

   a) Increased isolation
   b) Reinforcement of bonds and shared heritage
   c) Disruption of daily routines

Correct Answers:

1. b) The victory of light over darkness
2. b) Lighting candles and setting off fireworks
3. c) By gathering in harmony and unity
4. b) Lanterns
5. b) Reinforcement of bonds and shared heritage

- Chapter Fifty-Three -
THE PASSAGE OF TIME

Kalimi i Kohës

Koha qëndron tapetin e saj me momente që përcaktojnë epokat dhe shekujt. Kalimi i kohës, një udhëtim temporal, përfshin mijëvjeçarë dhe shekuj, secili me kronologjinë e tij. Antikitetet pëshpërisin tregime nga dekadat e kaluara, ndërsa koncepti i eonëve zgjat kuptimin tonë të ekzistencës.

Në këtë vazhdimësi, ngjarjet e rëndësishme shënojnë kufijtë e historisë. Natyra kalimtare e jetës kontraston me ciklin e përjetshëm të kohës, duke ofruar intervale për reflektim. Anakronizmat shërbejnë si kujtesa për kompleksitetin e rrjedhës së kohës, duke sfiduar perceptimin tonë.

Ndërsa lundrojmë nëpër epokat, kalimi i kohës mbetet një dëshmi e trashëgimisë së qëndrueshme të njerëzimit dhe kërkimit të tij për kuptim brenda gjërësisë së madhe të historisë.

Vocabulary

Temporal	*Temporal*
Era	*Epokë*
Chronology	*Kronologji*
Millennium	*Mijëvjeçar*
Epoch	*Shekull*
Antique	*Antikitet*
Decade	*Dekadë*
Century	*Shekull*
Eon	*Eon*
Anachronism	*Anakronizëm*
Continuum	*Vazhdimësi*
Momentous	*I rëndësishëm*
Transient	*Kalimtar*
Perpetual	*I përjetshëm*
Interval	*Interval*

Questions About the Story

1. *What does the passage of time encompass?*

   a) Only the future
   b) Millennia and centuries
   c) A single decade

2. *What do antiques represent in the story?*

   a) Modern technology
   b) The future possibilities
   c) Tales from decades past

3. *What are eons used to illustrate?*

   a) The short span of human life
   b) The predictability of life
   c) Our extended understanding of existence

4. *What marks the boundaries of history in the narrative?*

   a) Momentous events
   b) Daily routines
   c) Unimportant details

5. *What does the transient nature of life contrast with?*

   a) The stability of the present
   b) The perpetual cycle of time
   c) The unchanging landscape

Correct Answers:

1. b) Millennia and centuries
2. c) Tales from decades past
3. c) Our extended understanding of existence
4. a) Momentous events
5. b) The perpetual cycle of time

- Chapter Fifty-Four -
THE WEB OF LIES

Rrjeti i Gënjeshtrave

Në hijet e shoqërisë, u pëlh në një rrjet gënjeshtrash, që përfshinte ata që përfundonin të mashtruar. Një majstër i mashtrimit fabrikonte histori, duke veshur maska për të fshehur qëllimet e vërteta. Skemat u zhvilluan, të rrënjosura në motive mashtruese, që çuan në zbulimin e pashmangshëm të të vërtetave.

Një rrëfim prishi heshtjen, duke zbuluar manipulimin pas pretendimeve. Të kredhurit ndiheshin të tradhtuar, besimi i tyre i shfrytëzuar. Megjithatë, guximi i një zbuluesi zbuloi shpifjet, duke hapur rrugën për drejtësi.

Në fund, rrjeti i gënjeshtrave u shkatërrua, arkitektët e tij u zbuluan, dhe integriteti u rivendos. Prova kujtoi të gjithëve vlerën e ndershmërisë dhe rrezikun e mashtrimit.

Vocabulary

Deception	Mashtrim
Fabricate	Fabrikoj
Disguise	Maskoj
Scheme	Skemë
Fraudulent	Mashtrues
Confession	Rrëfim
Manipulate	Manipuloj
Credulous	I kredhur
Unravel	Zbuloj
Pretense	Pretendim
Betrayal	Tradhti
Alibi	Alibi
Slander	Shpifje
Expose	Zbuloj
Whistleblower	Zbulues

Questions About the Story

1. *What was spun in the shadows of society?*

   a) A web of truth
   b) A web of lies
   c) A net of justice

2. *What did the master of deception use to hide true intentions?*

   a) Mirrors
   b) Masks
   c) Disguises

3. *What led to the unraveling of truths?*

   a) A mistake
   b) Schemes rooted in fraudulent motives
   c) An accidental discovery

4. *What action revealed the manipulation behind the pretense?*

   a) A public announcement
   b) A confession
   c) An arrest

5. *Who exposed the slander and cleared the path for justice?*

   a) A detective
   b) A judge
   c) A whistleblower

Correct Answers:

1. b) A web of lies
2. c) Disguises
3. b) Schemes rooted in fraudulent motives
4. b) A confession
5. c) A whistleblower

- Chapter Fifty-Five -
THE MOUNTAIN'S CALL

Thirrja e Malit

Një grup aventurierësh u përgjigjën thirrjes së malit, duke synuar majën. Udhëtimi i tyre filloi në kampin bazë, ku terreni alpin u shtri para tyre, një përzierje shkëmbinjsh dhe shtigjeve të rrezikshme. Ngjitja ishte një provë e vendosmërisë së tyre, ndërsa ecnin nëpër zona të izoluara dhe kalonin pranë serakeve.

Ndërsa ngjiteshin, lartësia rritej dhe ajri bëhej më i hollë. Lavina ishte gjithmonë një rrezik, por ekipi shtyu përpara, të vendosur të arrinin majën. Ekspedita përballet me shumë sfida, përfshirë kalimin e një platou të madh dhe ngjitjen e majës së malit.

Arritja në majë ishte një moment triumfi. Aventurierët qëndruan në krye, duke parë botën poshtë, një dëshmi e guximit dhe qëndrueshmërisë së tyre. Mali kishte thirrur, dhe ata kishin përgjigjur.

Vocabulary

Summit	*Majë*
Alpine	*Alpin*
Terrain	*Terren*
Ascent	*Ngjitje*
Base camp	*Kamp bazë*
Crag	*Shkëmb*
Trek	*Ecje*
Avalanche	*Lavina*
Elevation	*Lartësi*
Crest	*Maja*
Expedition	*Ekspeditë*
Serac	*Serak*
Isolated	*I izoluar*
Plateau	*Platou*
Pinnacle	*Kulm*

Questions About the Story

1. *What was the ultimate goal of the adventurers?*

    a) To find a hidden treasure
    b) To reach the summit
    c) To set up a base camp

2. *What characterized the terrain at the beginning of their journey?*

    a) Sandy beaches
    b) Dense forests
    c) Craggy rocks and treacherous paths

3. *What natural hazard was always a risk during the ascent?*

    a) Wild animal attacks
    b) Thunderstorms
    c) An avalanche

4. *What did the adventurers navigate around during their climb?*

    a) Rivers
    b) Seracs
    c) Villages

5. *How did the team feel upon reaching the summit?*

    a) Disappointed
    b) Frightened
    c) Triumphant

Correct Answers:

1. b) To reach the summit
2. c) Craggy rocks and treacherous paths
3. c) An avalanche
4. b) Seracs
5. c) Triumphant

- Chapter Fifty-Six -
THE DRAGON'S LAIR

Strehëza e Dragut

Në një mbretëri të mitit dhe legjendës, një kalorës i guximshëm nisi një mision për të gjetur strehëzën e dragut. E fshehur thellë brenda një kështjelle, e mbrojtur nga bastionet dhe e mbuluar në mister, qëndronte dragua. Shkëlqimi i shkallëve të tij dukej si bizhuteri, dhe flakët valëzonin nga goja e tij.

Kalorësi, i armatosur me guxim dhe një kupë të magjepsur, synoi të përfundonte sundimin e dragut. Strehëza ishte mbushur me një thesar të madh, por misioni i kalorësit ishte i qartë. Enigma e fuqisë së dragut tërhoqi shumë, por vetëm të paktë guxuan të përballen me të.

Duke u përballur me dragun, kalorësi përdori mençurinë mbi forcën. Magjistari që dikur e kishte mbrojtur strehëzën me magji dhe magjepsje zbuloi sekretin për të bindur kafshën. Në fund, guximi dhe kuptimi triumfuan, duke siguruar paqen për mbretërinë.

Vocabulary

Dragon	*Dragua*
Lair	*Strehëza*
Mythical	*Mitik*
Hoard	*Thesar*
Flame	*Flakë*
Scales	*Shkallë*
Knight	*Kalorës*
Quest	*Mision*
Fortress	*Kështjellë*
Bewitched	*I magjepsur*
Chalice	*Kupë*
Enigma	*Enigmë*
Valor	*Guxim*
Sorcerer	*Magjistar*
Battlement	*Bastion*

Questions About the Story

1. *What was the knight's primary goal?*

   a) To steal the dragon's treasures
   b) To tame the dragon
   c) To end the dragon's reign

2. *Where was the dragon's lair located?*

   a) On a remote island
   b) Deep within a fortress
   c) Atop a mountain

3. *What did the knight use to confront the dragon?*

   a) A magical sword
   b) A shield of invisibility
   c) A bewitched chalice

4. *How did the knight plan to overcome the dragon?*

   a) By using strength
   b) With the help of an army
   c) Using wisdom over strength

5. *Who revealed the secret to taming the dragon?*

   a) A fairy
   b) The dragon itself
   c) A sorcerer

Correct Answers:

1. c) To end the dragon's reign
2. b) Deep within a fortress
3. c) A bewitched chalice
4. c) Using wisdom over strength
5. c) A sorcerer

- Chapter Fifty-Seven -
THE QUEST FOR THE GOLDEN KEY

Kërkimi për Çelësin e Artë

Një aventurier i guximshëm nisi një mision për Çelësin e Artë, një artifakt i mbuluar në mister dhe i mbrojtur nga një labirint. Çelësi, thuhet se hap një thesar përtej imagjinatës, ishte fshehur brenda një kripte, vendndodhja e së cilës ishte humbur në kohë.

I armatosur me një hartë dhe i shtyrë nga emocioni i ekspeditës, aventurieri deshifroi cifra dhe zgjidh enigma. Çdo enigmë e afronte atë më shumë me reliktin, me rojet që vëzhgonin çdo lëvizje të tij.

Labirinti ishte një provë e mendjes dhe vullnetit, me shtigje që përdridheshin dhe ishin mashtruese. Në zemër të tij, kripta e priste, duke mbajtur Çelësin e Artë. Aventurieri, duke përdorur njohuritë dhe aftësitë, hapi derën e thesarit, duke zbuluar sekrete të harruara kohë më parë.

Misioni ishte më shumë se një kërkim për pasuri; ishte një udhëtim zbulimi, duke sfiduar aventurierin të shikonte përtej sipërfaqes dhe të zbulonte të vërtetën e fshehur në hije.

Vocabulary

Quest	*Mision*
Golden	*Artë*
Key	*Çelës*
Riddle	*Enigmë*
Artifact	*Artifakt*
Labyrinth	*Labirint*
Guardian	*Rojë*
Enigma	*Enigmë*
Cipher	*Cifrë*
Relic	*Relikt*
Map	*Hartë*
Treasure	*Thesar*
Expedition	*Ekspeditë*
Crypt	*Kriptë*
Unlock	*Hap*

Questions About the Story

1. *What was the objective of the adventurer's quest?*

    a) To slay a dragon
    b) To find a lost city
    c) To retrieve the Golden Key

2. *What did the Golden Key unlock?*

    a) A door to another dimension
    b) A treasure beyond imagination
    c) A secret passage

3. *How did the adventurer navigate the quest?*

    a) By following a river
    b) With a compass
    c) Using a map and solving riddles

4. *What did the labyrinth test?*

    a) Physical strength
    b) Loyalty
    c) Wit and will

5. *Where was the Golden Key hidden?*

    a) In a mountain cave
    b) Within a crypt
    c) Under the sea

Correct Answers:

1. c) To retrieve the Golden Key
2. b) A treasure beyond imagination
3. c) Using a map and solving riddles
4. c) Wit and will
5. b) Within a crypt

- Chapter Fifty-Eight -
THE VOYAGE TO THE UNKNOWN

Udhëtimi drejt Panjohurës

Duke nisur një odisë përtej kufijve të njohur, një ekuipazh i guximshëm detarësh nis lundrimin drejt ujërave të paeksploruara. Ekspedita e tyre, e udhëhequr nga një navigator i zot, kërkoi të hartonte hartën e terrës së panjohur që gjendej përtej horizontit. Të pajisur me një astrolab dhe kompas, ata naviguan nëpër hapësirën detare, duke dokumentuar gjetjet e tyre në një regjistër.

Ndërsa shkonin më tej, trupat qiellore dhe erërat e detit të hapur testuan vendosmërinë e tyre. Kartografia, arti i krijimit të hartave, u bë mjeti i tyre për të kuptuar të panjohurën e madhe. Udhëtimi u shënua nga zbulime dhe sfida, që trupëzon shpirtin e eksplorimit që përcakton kërkimin e njerëzimit për dije.

Ky udhëtim në të panjohurën nuk ishte thjesht një udhëtim nëpër det, por një eksplorim i kufijve të guximit dhe kureshtjes njerëzore. Kur detarët u kthyen, sollën me vete tregime për misteret që ndodhen përtej arritjes së botës së njohur.

Vocabulary

Odyssey	*Odisë*
Frontier	*Kufi*
Uncharted	*I paeksploruar*
Expedition	*Ekspeditë*
Navigator	*Navigator*
Horizon	*Horizont*
Astrolabe	*Astrolab*
Terra incognita	*Terrë e panjohur*
Cartography	*Kartografi*
Maritime	*Detar*
Compass	*Kompas*
Seafarer	*Detar*
Logbook	*Regjistër*
Celestial	*Qiellor*
Gale	*Erë e fortë*

Questions About the Story

1. *What was the primary goal of the crew's expedition?*

    a) To find a new trade route
    b) To escape from pirates
    c) To map uncharted waters

2. *What tools did the navigators use to guide their expedition?*

    a) A telescope and a sextant
    b) A map and a pencil
    c) An astrolabe and a compass

3. *What challenged the crew during their voyage?*

    a) Mutiny among the crew
    b) Celestial bodies and gales
    c) Sea monsters

4. *What did the crew document their findings in?*

    a) A captain's log
    b) A logbook
    c) A diary

5. *What symbolizes humanity's quest for knowledge in the story?*

    a) The return to home
    b) The discovery of treasure
    c) The art of cartography

Correct Answers:

1. c) To map uncharted waters
2. c) An astrolabe and a compass
3. b) Celestial bodies and gales
4. b) A logbook
5. c) The art of cartography

- Chapter Fifty-Nine -
THE STARLIGHT EXPEDITION

Ekspedita Starlight

Një ekip astronautësh nisi Ekspeditën Starlight, duke u nisur thellë në kozmos. Anija e tyre hapësinore, e destinuar për të eksploruar mjegullnat dhe galaktikat, ishte e pajisur me instrumente të avancuara vëzhgimi për të studiuar kuarët dhe vrimat e zeza. Çdo konstelacion i hartuar shtoi në njohuritë ndër-yjore, ndërsa shikimi i një supernove ofroi një pamje të rrallë të vdekjes së yjeve.

Udhëtimi, që zgjati vite dritë, i çoi përballë fenomeneve që sfiduan kuptimin e tyre për universin. Mundësia e jetës jashtëtokësore dhe përvoja e gravitetit zero shtuan shtresa habie në misionin e tyre.

Kjo ekspeditë nuk ishte vetëm një përpjekje shkencore, por një udhëtim në të panjohurën, duke zgjeruar praninë e njerëzimit përtej Tokës dhe në gjithësinë e madhe të hapësirës. Kthimi solli jo vetëm të dhëna, por një perspektivë të re mbi vendin tonë në galaksi.

Vocabulary

Cosmos	*Kozmos*
Nebula	*Mjegullnajë*
Observatory	*Observator*
Quasar	*Kuar*
Interstellar	*Ndër-yjor*
Constellation	*Konstelacion*
Black hole	*Vrimë e zezë*
Supernova	*Supernovë*
Galaxy	*Galaktikë*
Astronaut	*Astronaut*
Spacecraft	*Anije hapësinore*
Light-year	*Vit dritë*
Alien	*Jashtëtokësor*
Zero gravity	*Gravitet zero*
Satellite	*Satelit*

Questions About the Story

1. *What was the primary goal of the Starlight Expedition?*

    a) To colonize new planets
    b) To explore nebulae and galaxies
    c) To establish communication with alien life

2. *What instruments were used to study celestial phenomena?*

    a) Radio telescopes from Earth
    b) Underwater sonar equipment
    c) Advanced observatory instruments

3. *What did the sighting of a supernova provide?*

    a) Evidence of alien civilizations
    b) A rare glimpse into the death of stars
    c) A way to travel faster than light

4. *What added layers of wonder to the mission?*

    a) The discovery of a parallel universe
    b) The possibility of alien life and the experience of zero gravity
    c) Finding a cure for diseases back on Earth

5. *What was the result of Sarah and the volunteers' work?*

    a) By expanding humanity's presence into space
    b) By proving Earth is the center of the universe
    c) By showing space travel is impossible

Correct Answers:

1. b) To explore nebulae and galaxies
2. c) Advanced observatory instruments
3. b) A rare glimpse into the death of stars
4. b) The possibility of alien life and the experience of zero gravity
5. a) By expanding humanity's presence into space

- Chapter Sixty -
THE SECRET OF THE SUNKEN SHIP

Sekreti i Anijes së Fundosur

Nën valët e oqeanit, arkeologë detarë nisën një mision për të zbuluar sekretin e një anije të fundosur. Misioni, i nxitur nga tregimet për thesare të humbura, përdori teknologjinë nëndetëse dhe sonarin për të lokalizuar mbetjet. Ndërsa zhytja nëpër rife koralore dhe misteret detare, zbuloi një anije të fundosur të ngarkuar me artifakte dhe plaçkë.

Operacionet e shpëtimit sollën në dritë relike të së kaluarës, duke ofruar një dritare në historinë detare dhe kompleksitetet e oqeanografisë. Zbulimi i një spirance të lashtë dhe thellësia e gjetjes testuan ekspertizën dhe pajisjet e ekipit.

Anija e fundosur, një mrekulli e arkeologjisë detare, hapi rrugë të reja për të kuptuar historinë njerëzore në dete. Ekspedita jo vetëm që rimori thesare, por gjithashtu zbuloi tregimet e atyre që dikur lundronin nëpër oqeane të mëdha.

Vocabulary

Wreckage	*Mbetje*
Marine archaeology	*Arkeologji detare*
Treasure	*Thesar*
Submarine	*Nëndetëse*
Salvage	*Shpëtim*
Coral reef	*Rif koralor*
Nautical	*Detar*
Sonar	*Sonar*
Artifact	*Artifakt*
Dive	*Zhytje*
Shipwreck	*Anije e fundosur*
Loot	*Plaçkë*
Anchor	*Spirancë*
Oceanography	*Oqeanografi*
Depth	*Thellësi*

Questions About the Story

1. *What technology was used to locate the sunken ship?*

    a) Radar
    b) GPS navigation
    c) Submarine technology and sonar

2. *What did the marine archaeologists find at the shipwreck site?*

    a) Pirate costumes
    b) Artifacts and loot
    c) Modern weaponry

3. *What did the salvage operations reveal?*

    a) Gold coins only
    b) Relics of the past
    c) Underwater caves

4. *What significant discovery tested the team's expertise?*

    a) A treasure map
    b) An ancient anchor
    c) A new species of fish

5. *How did the expedition contribute to our understanding of history?*

    a) By showcasing modern diving technology
    b) By opening up new avenues for understanding human history
       on the seas
    c) By proving the existence of mermaids

Correct Answers:

1. c) Submarine technology and sonar
2. b) Artifacts and loot
3. b) Relics of the past
4. b) An ancient anchor
5. b) By opening up new avenues for understanding human history on the seas

- Chapter Sixty-One -
THE SORCERER'S APPRENTICE

Nxënësi i Magjistarit

Një nxënës i zellshëm studioi nën një magjistar të fuqishëm, duke zhytur në misteret e magjisë dhe të të fshehtave. Grimuari i magjistarit, i mbushur me magji dhe thirrje, ishte çelësi për të mësuar artin. Çdo lëng i përgatitur dhe çdo magji e hedhur e afronin nxënësin gjithnjë e më shumë drejt bërjes një mjeshtri i alkimisë.

Një ditë, nxënësi përpiqet të magjepsë një eliksir pa mbikëqyrje, duke përdorur një shkop magjik me duar të pasigurta. Magjia e çliruar ishte e egër, duke shkaktuar kaos në vend të mistikizmit të synuar. Shpirti mbrojtës, një familiare, ndërhyri, duke rikthyer rendin dhe duke i mësuar nxënësit një mësim të çmuar në respektin ndaj forcave mistike.

Nëpërmjet provave dhe gabimeve, nxënësi mësoi se magjia nuk ishte vetëm për fuqi, por gjithashtu për mençuri dhe kontroll. Udhëtimi nga një fillestar në një magjistar ishte i mbushur me sfida, por çdo magji e hedhur dhe çdo eliksir i krijuar i hapte rrugën drejt mjeshtërisë.

Vocabulary

Sorcerer	*Magjistar*
Apprentice	*Nxënës*
Magic	*Magji*
Spell	*Magji*
Grimoire	*Grimuar*
Potion	*Elixiri*
Alchemy	*Alkimia*
Enchant	*Magjeps*
Wand	*Shkop magjik*
Incantation	*Thirrje*
Familiar	*Familiare*
Mystical	*Mistik*
Conjure	*Thërras*
Arcane	*I fshehtë*
Elixir	*Elixiri*

Questions About the Story

1. *What was the apprentice's goal in studying under the sorcerer?*

   a) To become a master of alchemy
   b) To learn how to fly
   c) To become immortal

2. *What did the apprentice use to try and enchant an elixir?*

   a) A magic stone
   b) A bewitched book
   c) A wand

3. *What was the result of the apprentice's unsupervised attempt at enchantment?*

   a) The creation of a new potion
   b) The unleashing of wild magic and chaos
   c) The transformation of the apprentice

4. *Who intervened to restore order after the chaos?*

   a) The sorcerer
   b) The apprentice themselves
   c) A guardian spirit, the familiar

5. *What important lesson did the apprentice learn?*

   a) That magic requires physical strength
   b) That magic is about wisdom and control
   c) That magic is only for the selfish gains

Correct Answers:

1. a) To become a master of alchemy
2. c) A wand
3. b) The unleashing of wild magic and chaos
4. c) A guardian spirit, the familiar
5. b) That magic is about wisdom and control

- Chapter Sixty-Two -
SECRETS UNDER THE SPHINX

Sekretet Nën Sfinks

Një ekip arkeologësh nisi një gërmim në bazën e Sfinksit, duke zbuluar sekrete të fshehura për mijëra vjet. Hieroglifet e gdhendura në gur i çuan ata në një kriptë të mëparëshme të pazbuluar, ku artifaktet nga një dinasti e harruar pëshpëritnin tregime të Egjiptit të lashtë.

Dhoma, e mbyllur për eona, mbante anomalitë që i habisnin shkencëtarët. Ndër këto ishte një mbishkrim që sfidonte supozimet e mëparshme mbi sundimin e Faraonëve. Me konservim të kujdesshëm dhe datimin me radiokarbon, ekipi punoi për të ruajtur integritetin e gjetjeve të tyre, duke siguruar që ruajtja e historisë të ishte parësore.

Ndërsa thellonin më shumë, sekretet nën Sfinks zbuluan kapituj të rinj të qytetërimit njerëzor, duke uruar boshllëqet në kuptimin tonë të së kaluarës. Kjo ekspeditë në kriptë jo vetëm që zbuloi artifakte, por gjithashtu ndriçoi trashëgiminë e qëndrueshme të një kulture që vazhdon të magjepsë botën.

Vocabulary

Sphinx	*Sfinks*
Hieroglyphics	*Hieroglifet*
Archeologist	*Arkeolog*
Excavation	*Gërmim*
Myth	*Mit*
Crypt	*Kriptë*
Anomaly	*Anomali*
Pharaoh	*Faraon*
Chamber	*Dhomë*
Artifact	*Artifakt*
Conservation	*Konservim*
Inscription	*Mbishkrim*
Radiocarbon dating	*Datimi me radiokarbon*
Preservation	*Ruajtje*
Dynasty	*Dinasti*

Questions About the Story

1. *What led the team of archaeologists to the previously undiscovered crypt?*

    a) A map found in a museum
    b) Dreams and visions
    c) Hieroglyphics etched into the stone

2. *What did the artifacts in the crypt whisper tales of?*

    a) The future predictions of ancient Egypt
    b) A forgotten dynasty
    c) Myths and legends of gods

3. *What kind of anomalies did the chamber hold?*

    a) Gold and jewels
    b) Anomalies that puzzled the scientists
    c) Weapons of war

4. *What did the inscription challenge?*

    a) The location of ancient cities
    b) The authenticity of the Sphinx
    c) Previous assumptions about the Pharaohs' reign

5. *What methods did the team use to ensure the preservation of their findings?*

    a) Only photography
    b) Careful conservation and radiocarbon dating
    c) Immediate removal to a museum

Correct Answers:

1. c) Hieroglyphics etched into the stone
2. b) A forgotten dynasty
3. b) Anomalies that puzzled the scientists
4. c) Previous assumptions about the Pharaohs' reign
5. b) Careful conservation and radiocarbon dating

- Chapter Sixty-Three -
THE CITY BENEATH THE ICE

378

Qyteti Nën Akull

Një ekspeditë ambicioze u nis në hapësirën e gjerë dhe të ngrirë të tundrës, me qëllim të zbulimit të një qyteti të fshehur nën shtresat e akullnajave dhe permafrostit. Të armatosur me teknologjinë e imazherisë termale dhe mostra bërthamore të akullit, ekipi sfidoi temperaturat nën zero për të zbuluar sekretet e një qytetërimi të lashtë të ruajtur në izolim.

Zbulimi sfidoi nocionet e mëparshme mbi mbijetesën dhe përshtatjen në klimate ekstreme. Kriogjenika luajti një rol kyç në kërkimet e tyre, duke u lejuar shkencëtarëve të studiojnë me kujdes artifaktet e gjetura që mbetën të ngrira në kohë. Në mesin e izolimit të akullit, ekipi gjeti prova të një komuniteti që kishte lulëzuar pavarësisht kushteve të ashpra.

Ky zbulim revolucionar hapi dyer të reja për të kuptuar kushtet klimatike të lashta dhe qëndrueshmërinë njerëzore. Zonat dikur të menduara si të pabanueshme të Tokës tani ishin faqe në historinë e mbijetesës njerëzore, që prisnin të lexoheshin nga bota.

Vocabulary

Glacier	*Akullnajë*
Expedition	*Ekspeditë*
Subzero	*Nën zero*
Ice core	*Bërthamë akulli*
Ancient	*I lashtë*
Thermal imaging	*Imazheri termale*
Permafrost	*Permafrost*
Cryogenics	*Kriogjenika*
Isolation	*Izolim*
Survival	*Mbijetesë*
Climate	*Klimë*
Discovery	*Zbulim*
Unearth	*Zbuloj*
Frozen	*I ngrirë*
Tundra	*Tundra*

Questions About the Story

1. *What was the goal of the expedition?*

    a) To study wildlife in the tundra
    b) To uncover a city beneath the ice
    c) To test thermal imaging technology

2. *What technology did the team use to aid their discovery?*

    a) Satellite imagery
    b) Underwater drones
    c) Thermal imaging technology

3. *What played a crucial role in studying the artifacts?*

    a) Cryogenics
    b) Microscopy
    c) Carbon dating

4. *What did the team find evidence of?*

    a) A lone survivor
    b) A thriving community
    c) Extinct animal species

5. *How did the discovery challenge previous notions?*

    a) By proving the existence of aliens
    b) By showing survival in extreme climates
    c) By discovering a new element

Correct Answers:

1. b) To uncover a city beneath the ice
2. c) Thermal imaging technology
3. a) Cryogenics
4. b) A thriving community
5. b) By showing survival in extreme climates

- Chapter Sixty-Four -
THE HEIST OF THE CENTURY

Grabitja e Shekullit

Grabitja e shekullit u orkestrua nga një mjeshtër që arriti të depërtonte në kasafortën më të sigurt, duke anashkaluar sistemet e mbikëqyrjes me saktësi të paparë. U përdorën maskime dhe u përgatitën alibi ndërsa ekipi ekzekutoi një shkelje sigurie që do të studiohej për vite me radhë.

Nën mbulesën e natës, ata vunë bast për objektivin e tyre, duke hartuar një rrugë arratisjeje që do të siguronte transportimin e palëvizshëm të plaçkës së tyre. Operacioni përfshinte agjentë të fshehtë dhe agjentë të dyfishtë, duke krijuar një rrjetë kompleks mashtrimi.

Negociatori, një figurë kyçe në planin e tyre, ishte gati të menaxhonte pasojat, në rast se veprimet e tyre çonin në një situatë rrëmbimi. Megjithatë, planifikimi i tyre i imtësishëm u pagua, duke lënë organet e rendit të habitur dhe botën në habi për guximin dhe aftësinë e tyre krijuese.

Vocabulary

Heist	Grabitje
Infiltrate	Infiltrim
Surveillance	Mbikëqyrje
Mastermind	Mjeshtër
Security breach	Shkelje sigurie
Alibi	Alibi
Vault	Kasafortë
Disguise	Maskim
Stakeout	Bast
Loot	Plaçkë
Escape route	Rrugë arratisjeje
Undercover	I fshehtë
Double agent	Agjent i dyfishtë
Ransom	Rrëmbim
Negotiator	Negociator

Questions About the Story

1. *What did the mastermind successfully infiltrate?*

   a) A museum
   b) A bank vault
   c) The most secure vault

2. *Which technique was NOT mentioned as part of the heist plan?*

   a) Hacking
   b) Using disguises
   c) Employing double agents

3. *What was prepared to support the heist?*

   a) Escape vehicles
   b) Alibis
   c) A distraction

4. *When did the team execute the heist?*

   a) During a holiday
   b) At midnight
   c) Under the cover of night

5. *What was the main goal of mapping out an escape route?*

   a) To create confusion
   b) To ensure loot was transported undetected
   c) To distract law enforcement

Correct Answers:

1. c) The most secure vault
2. a) Hacking
3. b) Alibis
4. c) Under the cover of night
5. b) To ensure loot was transported undetected

- Chapter Sixty-Five -
JOURNEY TO THE HEART OF THE AMAZON

Udhëtimi në Zemër të Amazonës

Një ekspeditë u nis për të eksploruar zemrën e Amazonës, një mbretëri me biodiversitet të paparë. Konservacionistë dhe natyralistë bashkuan forcat për të dokumentuar florën dhe faunën, duke naviguar nëpër pyllin e dendur të shiut dhe rrjetin e tij të lumenjve anësorë.

Udhëtimi i tyre theksoi rëndësinë kritike të përpjekjeve për konservim, ndërsa takonin specie të rrezikuara dhe dëshmonin për herë të parë ndikimin e çpyllimit në ekosistemin. Kanopia ishte e mbushur me jetë, duke ofruar një figurë të gjallë të gjallërisë së pyllit të shiut dhe nevojën urgjente për ruajtjen e tij.

Kjo ekspeditë jo vetëm që kontribuoi me të dhëna të çmuara në studimin e biodiversitetit, por gjithashtu theksoi lidhjen e ndërthurur të kulturave indigjene me mjedisin e tyre natyror. Ishte një kujtesë e qartë për rëndësinë e Amazonës në balancën ekologjike globale dhe betejën e vazhdueshme kundër degradimit ambiental.

Vocabulary

Amazon	*Amazona*
Rainforest	*Pylli i shiut*
Biodiversity	*Biodiversiteti*
Indigenous	*Indigjenët*
Canopy	*Frone*
Expedition	*Ekspedita*
Flora and Fauna	*Flora dhe Fauna*
Conservationist	*Konservacionisti*
Deforestation	*Çpyllimi*
Ecosystem	*Ekosistemi*
Navigation	*Navigacioni*
Tributary	*Lumi anësor*
Biome	*Bioma*
Endangered species	*Specie të rrezikuara*
Naturalist	*Natyralisti*

Questions About the Story

1. *What was the primary goal of the expedition?*

    a) To explore the Amazon's hidden cities
    b) To document the Amazon's biodiversity
    c) To search for gold and precious minerals

2. *Who joined forces for the expedition?*

    a) Tourists and adventurers
    b) Scientists and researchers
    c) Conservationists and naturalists

3. *What critical issue did the expedition highlight?*

    a) The discovery of new species
    b) The need for conservation efforts
    c) The search for medicinal plants

4. *What did the expedition contribute to?*

    a) Tourism in the Amazon
    b) The study of biodiversity
    c) The construction of new research stations

5. *What impact did deforestation have on the Amazon?*

    a) Increased biodiversity
    b) Enhanced ecosystem resilience
    c) Negative impact on the ecosystem

Correct Answers:

1. b) To document the Amazon's biodiversity
2. c) Conservationists and naturalists
3. b) The need for conservation efforts
4. b) The study of biodiversity
5. c) Negative impact on the ecosystem

- Chapter Sixty-Six -
The Lost City of Z

Qyteti i Humbur i Z-së

T hellë në zemrën e xhunglës, një ekspeditë u nis për të zbuluar qytetin mitik të Z-së, të udhëhequr nga manuskripte të lashta dhe koordinata enigmatike. Ekipi, i përbërë nga arkeologë dhe një kartograf i aftë, navigoi nëpër terrene të pathënatuara, duke u përballur me bimësi të dendur në kërkim të legjendës.

Ndërsa ecnin më thellë, mbijetesa u bë shqetësimi kryesor mes rreziqeve të panjohura. Artifaktet e gjetura gjatë rrugës sugjeronin ekzistencën e qytetit të humbur, duke i shtyrë ata të vazhdonin me vendosmëri. Pavarësisht zhdukjes së eksploruesve që kishin kërkuar më parë qytetin, ekipi vazhdoi, tërhequr nga magjia e zbulimit.

Qyteti i Humbur i Z-së mbeti i paqartë, sekretet e tij të mbajtura ngushtë nga xhungla. Megjithatë, ekspedita zbuloi njohuri të çmuara mbi qytetërimet e lashta, duke shënuar një kontribut të rëndësishëm në arkeologji. Misteri i vendndodhjes së qytetit dhe fati i tij vazhdoi të mrekullojë imagjinatën e shumëkujt, duke simbolizuar kërkimin e përhershëm njerëzor për dije dhe eksplorim.

Vocabulary

Archaeology	*Arkeologji*
Mythical city	*Qytet mitik*
Jungle	*Xhungël*
Expedition	*Ekspeditë*
Coordinates	*Koordinata*
Manuscript	*Manuskript*
Uncharted	*I pathënatuar*
Legend	*Legjendë*
Artifact	*Artifakt*
Survival	*Mbijetesë*
Cryptic	*Enigmatik*
Terrain	*Terren*
Cartographer	*Kartograf*
Foliage	*Bimësi*
Disappearance	*Zhdukje*

Questions About the Story

1. *What was the primary goal of the expedition?*

    a) To find a new trade route
    b) To document jungle wildlife
    c) To uncover the mythical city of Z

2. *Who were the key members of the expedition team?*

    a) Soldiers and mercenaries
    b) Archaeologists and a cartographer
    c) Journalists and photographers

3. *What primary challenge did the team face in the jungle?*

    a) The constant threat of wild animals
    b) Finding enough food and water
    c) Navigating through dense foliage

4. *What did the team discover that hinted at the city's existence?*

    a) A hidden treasure
    b) Ancient manuscripts
    c) Artifacts

5. *What was the outcome of the expedition?*

    a) The lost city was fully uncovered
    b) The team disappeared without a trace
    c) Valuable insights into ancient civilizations were gained

Correct Answers:

1. c) To uncover the mythical city of Z
2. b) Archaeologists and a cartographer
3. c) Navigating through dense foliage
4. c) Artifacts
5. c) Valuable insights into ancient civilizations were gained

- Chapter Sixty-Seven -
THE SECRET GARDEN OF BABYLON

Kopshti Sekret i Babilonisë

Kopshtet Pezull të Babilonisë, një mrekulli e lashtë e botës, tërhoqën vëmendjen e një ekipi arkeologësh që synonin të konfirmonin ekzistencën e tyre përmes mitologjisë dhe teksteve historike. Ekspedita e tyre kërkoi vendndodhjen e kopshteve, të besuar si një oaz i fertilitetit dhe mrekullive botanike, të mbështetur nga sisteme inovative ujitëse përfshirë akueduktet.

Ndërsa eksploronin rrënojat e Babilonisë, ata gjetën inskripcione që përshkruanin strukturën e terraseve të kopshteve, duke çuar në teori mbi restaurimin e tyre. Kopshti sekret, simbol i inxhinierisë së lashtë dhe bukurisë, mbeti i mbuluar me mister, megjithatë mundësia e ekzistencës së tij reale frymëzoi komunitetet shkencore dhe historike.

Kërkimi për Kopshtet Pezull theksoi ndërthurjen mes legjendës dhe arkeologjisë, sfiduar kërkuesit të bashkojnë copëzat e së kaluarës. Ky udhëtim në antikitet ofroi shikime në zotësinë e një qytetërimi mbi natyrën dhe trashëgiminë e tij të qëndrueshme në imagjinatën njerëzore.

Vocabulary

Babylon	*Babilonia*
Hanging Gardens	*Kopshtet Pezull*
Ancient	*I lashtë*
Mythology	*Mitologjia*
Irrigation	*Ujitje*
Wonder of the World	*Mrekulli e Botës*
Archaeologist	*Arkeolog*
Fertility	*Fertilitet*
Oasis	*Oaz*
Botanical	*Botanik*
Expedition	*Ekspeditë*
Restoration	*Restaurim*
Inscription	*Inskripcion*
Terrace	*Terasë*
Aqueduct	*Akuedukt*

Questions About the Story

1. *What was the primary goal of the archaeologists?*

    a) To find hidden treasure within Babylon
    b) To confirm the existence of the Hanging Gardens through historical texts
    c) To establish a new archaeological site

2. *What ancient wonder captivated the team of archaeologists?*

    a) The Great Pyramid of Giza
    b) The Lighthouse of Alexandria
    c) The Hanging Gardens of Babylon

3. *What key feature was believed to sustain the gardens?*

    a) Natural rainfall
    b) Innovative irrigation systems
    c) Magical properties

4. *What did the archaeologists find that led to theories about the gardens' structure?*

    a) Gold and jewels
    b) Inscriptions describing the terrace structure
    c) Ancient seeds and plants

5. *What did the search for the Hanging Gardens underscore?*

    a) The wealth of ancient Babylon
    b) The dangers of archaeological expeditions
    c) The intersection between legend and archaeology

Correct Answers:

1. b) To confirm the existence of the Hanging Gardens through historical texts
2. c) The Hanging Gardens of Babylon
3. b) Innovative irrigation systems
4. b) Inscriptions describing the terrace structure
5. c) The intersection between legend and archaeology

- Chapter Sixty-Eight -
THE MIND'S LABYRINTH

Labirinti i Mendjes

Një psikolog nisi një eksplorim të nëndijes, duke krahasuar mendjen me një labirint të mbushur me iluzione dhe ndërlikime kognitive. Përmes terapisë dhe analizës së ëndrrave, ai thelloi në perceptimin dhe kujtesën, duke zbuluar halucinacione që bënin të paqarta kufijtë midis realitetit dhe imagjinatës.

Ky udhëtim në labirintin e mendjes nuk ishte vetëm një kërkim për të kuptuar psikologjinë individuale, por gjithashtu një kërkim për arritje në neurologji. Hyrja në ndërgjegje dhe introspektimi ofruan një rrugë për të zgjidhur kompleksitetet e psikikës njerëzore.

Ndërsa lundronin nëpër labirintin kognitiv, çdo zbulim ofronte një pjesë të enigmës, duke kontribuar në një kuptim më të madh të nëndijes. Labirinti i Mendjes u bë një metaforë për natyrën e ndërlikuar dhe shpesh të vështirë të proceseve mendore, duke theksuar thellësinë e madhe të kognicionit njerëzor dhe potencialin për zbulim të brendshëm.

Vocabulary

Psychology	*Psikologji*
Subconscious	*Nëndije*
Maze	*Labirint*
Perception	*Perceptim*
Cognitive	*Kognitiv*
Illusion	*Iluzion*
Therapy	*Terapi*
Dream analysis	*Analizë ëndrrash*
Neurology	*Neurologji*
Memory	*Kujtesë*
Hallucination	*Halucinacion*
Insight	*Hyrje*
Consciousness	*Ndërgjegje*
Breakthrough	*Arritje*
Introspection	*Introspektim*

Questions About the Story

1. *What is likened to a maze in the story?*

   a) The mind
   b) A real labyrinth
   c) A psychologist's office

2. *What methods did the psychologist use to explore the subconscious?*

   a) Dream analysis and therapy
   b) Meditation
   c) Neurological experiments

3. *What blurred the lines between reality and the imagined?*

   a) Dreams
   b) Hallucinations
   c) Books

4. *What was the exploration of the mind's labyrinth a quest for?*

   a) Personal fame
   b) Understanding individual psychology
   c) A treasure

5. *What did insight into consciousness and introspection help with?*

   a) Solving a crime
   b) Unraveling the complexities of the human psyche
   c) Winning a competition

Correct Answers:

1. a) The mind
2. a) Dream analysis and therapy
3. b) Hallucinations
4. b) Understanding individual psychology
5. b) Unraveling the complexities of the human psyche

- Chapter Sixty-Nine -
THE VANISHED COMPOSER

Kompozitori i Humbur

Në një qytet të famshëm për trashëgiminë e tij muzikore, zhdukja e papritur e një kompozitori të njohur tronditi komunitetin. I njohur për simfonitë e tij që kapnin esencën e harmonisë dhe melankolisë, mungesa e tij la një boshllëk në botën e muzikës klasike.

Ditët para zhdukjes së tij, kompozitori ishte tërësisht i përfshirë në veprën e tij të fundit, një rekuiem që premtonte të ishte opera e tij madhështore. Manuskripti i tij, i mbushur me notacione të ndërlikuara dhe emocion të thellë, sugjeroi një krescendo të zbulimeve personale.

I fundit që e pa ishte dirigjenti, një konfident i afërt, i cili fliste për përkushtimin e kompozitorit ndaj artit të tij, shpesh duke e gjetur të humbur në thellësitë e kompozimeve të tij të uverturës dhe fugës. Megjithatë, pas gjënialitetit të tij, fshihej një enigmë që askush nuk mund ta zgjidhte.

Ndërsa ditët u kthyen në javë, u organizua një koncert në nder të tij. Orkestra, nën dirigjimin e mikut të tij, performoi simfoninë e tij të papërfunduar. Muzika, një përzierje e dëshpërimit dhe bukurisë, dukej sikur arrinte përtej sallës së koncerteve, duke kërkuar shpirtin e humbur të krijuesit të saj.

Kompozitori i zhdukur u bë një legjendë, zhdukja e tij po aq misterioze sa fuqia emocionale e muzikës së tij. Deri më sot, muzikantët dhe aficionadot reflektojnë mbi fatin e tij, rekuiemi i tij i fundit një odu prekëse për brishtësinë e gjënialitetit.

Vocabulary

Composer	Kompozitor
Symphony	Simfoni
Disappearance	Zhdukje
Manuscript	Manuskript
Harmony	Harmoni
Melancholy	Melankoli
Conductor	Dirigjent
Requiem	Rekuiem
Overture	Uverturë
Crescendo	Krescendo
Orchestra	Orkestrë
Notation	Notacion
Enigma	Enigmë
Concerto	Koncert
Fugue	Fugë

Questions About the Story

1. *What is the city known for?*

   a) Its historical landmarks
   b) Its musical heritage
   c) Its culinary delights

2. *What was the composer working on before his disappearance?*

   a) A symphony
   b) An opera
   c) A requiem

3. *How is the composer's work described?*

   a) Joyful and lively
   b) Harmonious and melancholic
   c) Dissonant and chaotic

4. *Who was the last person to see the composer?*

   a) A fellow composer
   b) A family member
   c) The conductor

5. *What did the composer's music blend together?*

   a) Hope and fear
   b) Joy and sadness
   c) Despair and beauty

Correct Answers:

1. b) Its musical heritage
2. c) A requiem
3. b) Harmonious and melancholic
4. c) The conductor
5. c) Despair and beauty

CONCLUSION

Congratulations on completing "69 More Short Albanian Stories for Intermediate Learners." This journey has taken you deeper into the Albanian language, broadening your vocabulary and enhancing your understanding of grammatical nuances. Each story was crafted not only to challenge but also to entertain, providing a rich context for learning and applying more complex language structures.

Your commitment to learning Albanian through these stories demonstrates a passion for linguistic exploration and a dedication to mastering the intricacies of this beautiful language. These tales have served not only as language lessons but also as windows into diverse experiences and cultures, enriching your understanding of the world.

Language learning is a continuous adventure, offering endless opportunities for discovery and connection. By advancing your skills, you've opened new doors to conversations, literature, and a deeper appreciation of Albanian culture.

I am eager to hear about your adventures and the insights you've gained from these stories. Share your experiences with me on Instagram: **@adriangruszka**. Your journey, challenges, and achievements are a source of inspiration.

For more resources and to become part of our language learning community, visit **www.adriangee.com**. Here, you'll find additional materials to further your Albanian language journey. Together, let's continue exploring the vast and vibrant world of language.

- *Adrian Gee*

CONTINUE YOUR LANGUAGE JOURNEY:
Elevate Your Albanian to New Heights:
"The Ultimate Albanian Phrase Book"

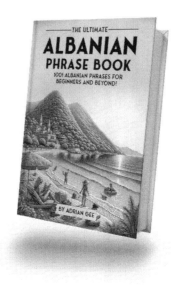

As you celebrate completing "69 More Short Albanian Stories for Intermediate Learners," why stop there? Your journey into the depths of the Albanian language and its cultural intricacies can continue with an essential tool in your language learning arsenal: "The Ultimate Albanian Phrase Book."

Designed for enthusiasts of the Albanian language at every level, from beginners taking their first steps to seasoned speakers aiming to refine their fluency, this book is your gateway to mastering conversational Albanian with confidence and cultural insight.

What You'll Discover in "The Ultimate Albanian Phrase Book":

- Over 1001 Handpicked Phrases: Dive into a treasure trove of phrases for every situation, each accompanied by phonetic pronunciation guides.
- Interactive Learning Tools: Engage with exercises that transition you from learning to living the Albanian language.
- Grammar Simplified: Tackle Albanian grammar with our straightforward lessons designed for real-world communication.
- Pronunciation Perfection: Navigate the subtleties of Albanian pronunciation with expert guidance.
- Cultural Insights: Connect deeper with the Albanian culture through enlightening tidbits accompanying each phrase.
- Memorization Strategies: Adopt effective techniques to ensure what you learn today stays with you tomorrow and beyond.

Your language learning journey doesn't have to end here. Whether you're looking to enhance everyday conversations, travel with confidence, or deepen your connection to Albanian culture, this phrase book is your next step towards fluency. Dive into the richness of the Albanian language and culture with "The Ultimate Albanian Phrase Book" and turn every interaction into an opportunity for growth and discovery.

Made in the USA
Coppell, TX
27 September 2024

37793363R00252